感情を引き出す小説の技巧

読者と登場人物を結びつける執筆術

ドナルド・マース
佐藤弥生・茂木靖枝 訳

FILM ART
フィルムアート社

Donald Maass

The EMOTIONAL CRAFT of FICTION

How to Write the Story Beneath the Surface

感情を引き出す小説の技巧

目次

TABLE OF CONTENTS

凡例

長編小説は『』、短編小説は「」で示した。

本文中で扱われている小説において未邦訳のものは、続く（）内に未訳と記した。

本文中の引用作品で、既訳から引用したものについては、文末の（）内に翻訳者名と出版社名と刊行年を表記した。

本文中の小説作品について、初出時にその発表年を、続く（）内に示した。

［］内は著者、〔〕内は訳者による補足説明である。

わが母、マージェリー・ダウド・マースへ本書を捧げる。

第 1 章

感情を引き出す技巧

The EMOTIONAL CRAFT of FICTION

ひと口に小説家と言っても、信念や価値観、目的、執筆方法において、さまざまな意見の対立があります。商業的な成功を求める作家もいれば、文学性を追求する作家もいます。まず全体のアウトラインを考える作家もいれば、書きながらストーリーを組み立てていく作家もいます。ジャンル分けされることが名誉の証と感じる作家もいれば、レッテルを貼られることをきらう作家もいます。何よりも名声を求める作家もいれば、金になるかどうかが重要という作家もいます。なかには、映画化されることを夢見る見当はずれの作家もいます。

わたしがここで紹介したいのは、感情を書くのを好む作家と、感情を文章にするのをきらう作家とに分ける考え方です。後者は「見せること」を重視する作家です。登場人物が感じていることと、考えていることを読者も感じられるように、登場人物の経験を書き記していきます。読者の感情を引き出すのであり、ひとつひとつ細かく説明するのではありません。こうした作家たちにとって最も大切なのは、瞬間をとらえることです。率直で、生き生きとした、ありのままの姿の描写であり、単なることばを超えるものです。読者は普遍的な人間の姿を認識します。

これと対立するのが、「語ること」を重視する作家です。登場人物の心のなかに入りこみ、その人物と同じようにストーリーの出来事を観察し、体感します。登場人物の感情を書き表すことは、ストーリーを親しみやすく語るうえで欠かせません。登場人物を生き生きと描くにはいちばんの方法です。こうした作家たちにとって最も大切なのは、ことばの力だけで登場人物の内なる状態を細部まできめ細かく表現することです。

見せるか、語るか、どちらかだけを純粋に追求する作家はまれですが、ほとんどの作家はいずれかの技法に偏っています。とはいえ、一般的には語るよりも見せるほうがよいとされています。

また、ほとんどの作家は、ふたつを併用しています。見せるか語るかについてあまり議論されることはありません。文学者たちの会合で取りあげられるときは、たいてい「見せることと語ることはどれくらいの配分にするのがよいか」という話題に絞られます。

フィクションにおける感情表現について調査と研究を重ね、指導をおこなってきたわたしは、まったく異なる結論にたどり着きました。作家たちはまちがったことを問題としています。「見せること」と「語ること」は、技法としてはよいのですが、読者の感情にはほとんど影響を及ぼしません。最も問題とすべきなのは、登場人物が経験していることをどうすれば理解させられるか、ではありません。どうすれば読者自身の感情を動かすことができるか、です。

見せることと語ることは、全体のほんの一部にすぎず、最も重要な部分ですらありません。これから見ていくように、読者は、登場人物とともにストーリーの世界を生きていると考えるかもしれません。けれども、実際にはちがいます。読者は、自分の世界で自分自身の経験を重ねているのであって、ストーリーはきっかけにすぎません。

その経験は、プロット、設定、テーマ、雰囲気、台詞、そしてもちろん、登場人物がどんな気持ちでいるかなど、ストーリーの要素の組み合わせによって引き出されるものかもしれません。けれども、小説家の仕事とは、読者を小説家自身あるいは登場人物と同じ気持ちにさせることではなく、読者それぞれの感情の旅へとストーリーを通して導くことです。

よく考えれば、これは理にかなっています。同じ小説でも、読む人によって受け止め方はまったく異なります。どれほどちがうかは、書評共有サイトに投稿されるコメントを見ればわかるはずです。とても同じ小説を読んでいるとは思えません。

この本では、感情面での鮮烈な経験を読者にもたらす方法と手段を掘りさげて考えることを目的としています。効果的な見せ方、語り方についてはもちろん、ほかにも多くのことを考えていきます。読者の反応は複雑に変化します。同じように複雑で、同じようにさまざまな影響を持つのが、キャラクターアーク、つまり、登場人物が自分を発見するための感情の旅です。それは、継続的な感情面での闘いがあるからこそ起こるものです。

小説における感情表現のことばづかいも、読者の経験に変化をもたらします。プロットも、感情面で節目となる一連の出来事として理解されます。作家もまた、書くにしたがって感情の旅を重ねていきます。その旅は、いま書いているストーリーだけでなく、自分の考え方や作家としてのあり方そのものにも影響します。

なぜ、小説を書くときに、感情というレンズを通して見ることが重要なのでしょうか。それは、読者がそのようにして読んでいるからです。読者は読むというより、むしろ反応しています。作者の物の見方や怒りを無条件に認めるわけではありません。読者自身の考え方があります。作家は読者の感情の対象となるものを作り出すのではなく、ただ感情を引き出すのです。登場人物の経験を取りまとめて展覧会のように並べたとしても、その展示は、美術館を訪れる何千人もの訪問者――つまり読者――によって何千通りもの異なる意味を持つことになります。

出版された小説がすべて、読者に強い感動をもたらすわけではありません。持ちこまれた原稿となると、さらにひどい状態です。ほとんど感情をかき立てない原稿がなんと多いことでしょうか。悲しいことに、たった三〇秒間のテレビコマーシャルが、三〇〇ページの原稿よりも感動を生むことは珍しくありません。

涙を流すほど感動したり、激しい怒りにかられたり、ちがう生き方をしようと決心させられたりした小説がどれくらいありましたか。心にしっかりと刻みつけられた、忘れられない作品はいくつあるでしょうか。おそらくその数は多くないと思いますし、数少ないなかで、印象に残った作品のほとんどは、現代の小説ではなく、不朽の名作と呼ばれるものではないでしょうか。そうした作品が名作と呼ばれる所以はなんでしょう。技巧に富んだストーリーテリングはもちろんですが、作品が永遠の魅力を持つのは、読んでいたときの気持ちを覚えているからです。読者が覚えているのは技巧ではなく、心に受けた衝撃です。

伏線が回収されれば読者は満足しますが、その小説について読者が覚えているのは、読んでいるあいだに感じたことです。すばらしい書き出しに引きつけられることや、思わぬ展開に好奇心をかき立てられることがあるでしょう。緊張感でページをめくる手が止まらなくなることや、美しい文体に圧倒されることもあると思います。けれども、そうした効果はすべて、夜空の花火のようにたちまち消えてしまいます。小説でいちばん印象に残っているのは何かと読者に尋ねれば、登場人物という答えが大半だと思いますが、ほんとうにそうでしょうか。たしかに登場人物は実在するように感じられてくるものですが、それは読者自身の感情が投影されているからです。登場人物が本物なのではなく、わたしたち自身の感情こそ本物なのです。

感情に働きかけることは文章に添えものを与えることではありません。プロットと同様に、小説の目的や構造の基礎となるものです。感情を引き出す技巧は、キャラクターアーク、プロットの転換、はじまり、中間点《ミッドポイント》、終わり、そして力強いシーンを書くための基礎となるものであり、作者の考えのよりどころとなるものです。

感情を引き出す技巧は、ひとりの人間としての作家の書く力を解き放ちます。そして、小説がまとまらなかったり、書くことが楽しめなくなったりするような混乱したときにも、ストーリーとのつながりをたしかめることができます。感情を引き出す技巧は、使い古された文章作法を焼き直すことではありません。読者の感情に強く訴えかけるものを理解し、考え抜いたうえで、書くことに取り入れていくものです。自分自身のなかにあるツールを使って文章を力強いものにする方法であり、そのツールとは、自分自身の感情です。

この本に書いた方法は、プロットを書くための公式や、創作術の本によくあるシーンのチェックリストに頼るものではありません。偶然の発見や運で片づけることもありません。天賦の才などというあてにならない資質は役には立ちません。感情を引き出す技巧を習得するためには、まず感情面への衝撃がどのように生まれるかを理解してから、実際に応用していきましょう。

魔法のような方法ではありませんが、成果は魔法のように感じられるはずです。この技法を習得しても、ストーリーのタイプやスタイル、意図は変わりません。大衆小説か純文学か、執筆前にプロットを考えるか考えないか、ひとつのジャンルにこだわるか、複数のジャンルを融合させるか、新しく切り開くか、それは問いません。繰り返しますが、あらゆる原稿は、もっと読者の感情を引き出す必要があります。その方法をこの本では紹介していきます。

わたしはこれまでに小説の技法に関する本を何冊か書き、好評を得てきましたが、こうした新しいアプローチをとる必要があると考えたのには理由があります。わたしにとって、読者の感情を引き出す技巧について学ぶことが必要になったのは、多くの原稿を読み、小説を出版してきたなかで、深く感情を動かされることがないと気づいたからです。よく売れているスリラー小説の激しいアクションには、あまり感動を覚えません。SFやファンタジーには想像力をかき立てられますが、心が動くことはめったにありません。恋愛小説やウィメンズ・フィクション〔米国ロマンス作家協会の定義によると、人生の岐路に立たされた女性の人間的成長を描いた女性読者向けの小説〕は、ほとばしる感情を描いていますが、興味を感じないことがほとんどです。

なかでも文芸小説は、読者として最も退屈なものとなりかねません。美しい文章は、ダイヤモンドのネックレスのように輝きを放つかもしれませんが、輝きは感情ではありません。今日の編集者が最も望んでいるのは強い声であり、それはまちがいではありませんが、どんなに強い声でも心に届かないことがあります。強い文章がかならずしも強い感情を引き出すわけではありません。下手な文章によってかえって心が乱れ、怒りが湧きあがり、涙があふれることもあります。

小説を読むならば、もっと感情を揺さぶられたい。だれもがそう思うのではないでしょうか。そこで、この本で紹介する技法が重要になります。強い感情を持ったとき、読者の心は開いています。あなたのストーリーは、読者の心に届いた一瞬だけでなく、永遠に読者を変えることができます。何について書くか、どう書くか、どんな出版形態を選ぶか、自分のキャリアに何を望むか、それはわたしの関知するところではありません。わたしが求めているのは、作品を読んで強く心を揺さぶられることです。記憶に深く刻まれた名作の数々や、今年きっと読むことになる衝撃的な新作と同じように、あなたやあなたの作品の登場人物と心をかよわせたいと願っています。

さあ、これでよい目標ができたでしょうか。そうであるよう願っています。この先のページは、その目標を達成するための手引きです。

第 2 章

内側から書くか、
外側から書くか

INNER versus OUTER

読者の感情を引き出すには、大きく分けて三つの方法があります。ひとつ目の方法では、登場人物が感じていることを効果的に伝え、それによって読者の感情を引き出します。これが「内側から書く」方法であり、感情を語ることを重視します。コーヒーを飲みながら友人たちと話すように、登場人物と同じ気持ちになって、うなずき、眉をひそめ、息をのみ、異議を唱え、目を見張り、疑問を投げかけます。

ふたつ目の方法では、登場人物の表向きの行動によってその内なる状態を暗示し、どんな気持ちでいるか読者に考えさせます。これが「外側から書く」方法であり、感情を見せることを重視します。ビリヤードの玉がぶつかって弾かれるように、登場人物の行動から感情の動きが読者に伝わり､読者はそれに共鳴するという考え方です。登場人物がどう感じているかの説明はなく、読者はただ流れを見守ります。

第三の方法では、物語の登場人物たちですら持っていない感情を、読者から引き出します。いわば作者と読者との感情面でのやり取りです。読者は反応し、抵抗して、ときには圧倒されながらも、作者の文章力によって、感情が否応なく揺り動かされ、あふれ出ることになります。

この三つのいずれの方法も読者の感情を引き出すことができますが、それぞれに落とし穴が潜んでいて、失敗に終わる可能性があります。それぞれを使いこなすには、うまくいったとき、それがなぜなのかを理解することが必要です。表面的な効果の背後にある要因を理解できれば、あなたがいま使っている技法が読者の心を確実にとらえられるかどうかわかるはずです。

外側から書く
——登場人物の感情を見せる

内側から書くか外側から書くかの選択は、重要です。恋愛小説のように、どうしても内側から書くことに頼りがちなタイプのストーリーもあります。スリラー小説のように、登場人物の感情をじっくりと描く時間がない場合や、作者がそのような文章を稚拙なものとしてきらう場合もあります。

ウィメンズ・フィクションの作家は、その中間にいます。物語の性質と読者層を考えると、たいした問題ではないと思われるかもしれません。読者が読みたいのは登場人物の内なる経験であり、変化や成長がストーリーの中心です。変化とはほとんど心のなかで起こるものですから、内側から書く方法が既定路線であるように思われます。その一方で、作家たちは、楽しませる以上の内容にしたいと願っています。このジャンルの小説は、楽しく、心あたたまるもので、チョコレートやすてきなレシピで満載かもしれませんが、深刻なテーマも扱っています。主張があるのです。

書評で多くの星を獲得し、読書会で話題となるような問題を提起するには、すぐれた文章でなければいけません。そのためには、感情を見せる技巧が求められます。

けれども多くの原稿では、描かれている行動から感じられるものは小さく、あまりに読者を意識しすぎているように思えます。言い換えれば、わざとらしいのです。なぜそうなるのでしょうか。見たり聞いたりできるもの以上に、効果的で生き生きとしたものはありません。一方、人間が行動を起こすのは、要求があるからです。その要求はサブテキストで感じとられ、言動や行動によって明かされます。だから、それがわたしたち自身の想像力をかき立て、感情を揺さぶるはずだ、と考えていないでしょうか？

そうとはかぎりません。表向きの行動に心を揺さぶられるとき、心を揺さぶったのは書かれていた行動ではなく、自分自身の心の動きです。行動は、何かを感じるためのきっかけであり、何かを感じることの原因ではありません。このちがいは重要です。見せることが成功している場合、それはなぜかではなく、どういうときかを見なくてはいけないのはこのためです。

マシュー・クイックの小説『世界にひとつのプレイブック』（二〇〇八）の主人公パット・ピープルズは、明らかに異常な精神状態にあります。小説の冒頭でパットは精神医療施設で暮らしていますが、母親の助けで退院します。クイックは、精神を病んだ主人公について楽しく読ませるコツを知っています。それは、ユーモラスに描くことです。パット・ピープルズは、別れた妻ニキと再会するという夢に滑稽なほど執着し、彼が言う「離れ離れの状態」が終わると確信しています。けれども、それがかなわないことは、パットが家にもどったときのようすを読めばよくわかります。

> ようやく地下室から出てくると、壁や暖炉の上に飾ってあったニキとぼくの写真がすっか

り片づけられているのに気づいた。

あの写真はどこにあるの、とぼくは母に訊いた。彼女の話によると、数週間ほど前に家に泥棒が入り、盗まれたということだった。どうして泥棒がニキとぼくの写真を欲しがったのか、その理由を訊いた。母が言うには、ニキの写真はすべてとても高価な写真立てに入れてあったというのだ。「どうして泥棒はほかの家族の写真を取っていかなかったんだろう?」と、ぼくは言った。高価な写真立てばかり盗んでいったのよ、と母は言った。しかし、彼女は家族の写真などどうでもいいと思っていたから、置き場所を変えていたのだ。「なぜニキとぼくの写真はそのままにしておいたの?」と、ぼくは訊いた。ニキとぼくの写真は大切なものだと思っていた、と彼女は言った。とりわけ、結婚式の写真の代金はニキの両親が支払ってくれていて、こちらに渡されたのはお気に入りの写真の焼き増しだけだったという事情もある。母は、ニキから結婚式以外の二人の写真ももらっていた。ところで、今は、こんな離れ離れの状態だったから、わが家はニキとも彼女の家族とも連絡を取っていなかった。

(佐宗鈴夫訳、集英社、二〇一三年、一五-一六頁)


この茶番めいた一節で、クイックがパットの気持ちを書き表していないことに注目してください。その必要はないからです。ニキが自分のもとへは帰ってこないという事実に背を向けるパットが、妄想に支配されているのは一目瞭然です。この客観的で、ひとひねりした、報道記事のような描写はクイックのねらいどおりです。なぜなら、パット・ピープルズの内なる感情はあまりにも常軌を逸していて痛々しく、受け入れることはむずかしいからです。

このことは、つぎに引用する部分でふたたび明らかにされます。パットの退院の条件である外部の精神科医の診断を受けるために、クリフ・パテルという医師とのはじめての面会に行く場面です。

ぼくがそこに座って、週刊誌の〈スポーツ・イラストレイテッド〉をパラパラめくりながら、待合室に流れているイージーリスニングの放送を聞いていると、突然耳に飛び込んできたのが、セクシーなシンセサイザーのコードや、かすかに拍子をとっているハイハットシンバル、さらには、エロチックな鼓動を叩き出しているベースドラムや、魔力的な騒々しい音のきらめき、それから、やけに明るいソプラノ・サックスの音色だった。曲は誰もが知っている〈ソングバード〉だ。ぼくは椅子から立ち上がると、叫び声をあげて、椅子を蹴とばし、ティーテーブルをひっくり返し、積まれていた雑誌をつかんで、壁に投げつけてわめいた。「ずるいぞ！　ぼくはどんな企みだって我慢するつもりはない！　興奮しやすい実験用モルモットなんかじゃないんだから！」

すると、ひどく小柄なインド人の男が、どうかしたのかねと穏やかに訊いてきた――身長は、おそらく五フィート程度だろう。八月にケーブルニットのセーターを着込み、スーツのズボンに、ピカピカの白いテニスシューズを履いていた。

「この音楽、止めてくれ！」ぼくは叫んだ。「スイッチを切って！　早く！」

この小柄な男の人がパテル先生だ、とぼくは気づいた。音楽のスイッチを切るよう、秘書に指示したからだ。彼女が言われたとおりにすると、ケニー・Gの曲が頭の中から消えて、ぼくは叫ぶのを止めた。
両手で顔を覆った。一分ばかりして、母がぼくの背中をさすってくれ始めた。しんと静まり返っている――やがて、パテル先生がぼくに診察室へ入るように言った。ぼくはしぶしぶ彼の後に従い、母は秘書を手伝って散らかったものの後片づけをしていた。
診察室は一風変わったおもしろい部屋だった。(同、二一－二二頁)

パットはどんな気持ちなのでしょうか。クイックがあえてそれを書かないのは、重要ではないからです。重要なのは読者が何を感じるかです。それはおそらく衝撃か恐怖、あるいは苦悩しているのが明らかな男に対する憐れみでしょう(ケニー・Gの大ヒット曲は、多少甘ったるいとは思いますが、テーブルをひっくり返す理由にはなりません)。

感情を見せることが、この場面で何よりも効果を発揮しています。このことは、あなたの作品の登場人物が心に暗い影や、悩み、苦しみをかかえている場合、あるいは精神を病んでいる場合、特に重要です。登場人物の悲痛な感情の動きは、読者が読むに耐えられるものにしてください。ユーモアと客観的な描写が安全地帯を作ります。読者はその安全な場所で、極端な心情に対する自分の反応を見つめることができます。

わかりやすく言うと、登場人物の感情があまりに悲痛であるときは、前面に置いてはいけないということです。

効果的な見せ方の隠し味となるものは「サブテキスト」という一語にまとめることができます。語られていない感情が存在するのが明らかなとき、奥底にあるその感情が「サブテキスト」であり、ことばにされない真実の感情です。それに気づくとき、驚きが生まれます。

グレゴリー・デヴィッド・ロバーツのベストセラー小説『シャンタラム』(二〇〇三)の続編である『マウンテン・シャドー』(二〇一五/未訳)の冒頭は、舞台となるボンベイのスラムはもちろん、幻想的な世界に犯罪とロマンスが混ざり合い、読者を驚かせる要素が満載のように見えます。その一方で作者ロバーツは、随所で巧みにサブテキストを織り交ぜているため、語られていない内容に読者は好奇心をかき立てられます。

冒頭部分の一節では、指名手配犯であるオーストラリア人の主人公リンが、二人の男とともにアヘン窟を出て、ことばを交わします。ひとりは友人のヴィクラムで、リンは、ヴィクラムの母親のネックレスを高利貸しから強引に取りもどしてきたところです。もうひとりは自称探偵のナヴィーンです。三人の関係は、大きな秘密を共有する者たちならではの雰囲気を漂わせています。

タクシーに乗りこもうとしたヴィクラムを私は引き止め、身をかがめて小声で話しかけた。

「何をやってるんだ?」

「どういう意味だ」

「ヤクのことでおれをごまかすな、ヴィク」

「ごまかすだと!」彼は言い返した。「くそ、ちょっとヘロインを吸っただけじゃないか。それがどうした? どうせコンキャノンのブツだ。やつが買ったんだ」

「落ち着けよ」

「いつも落ち着いてるよ。知ってるだろう」

「なかには抜け出せるやつもいる。コンキャノンはそうなのかもしれない。だが、きみはちがう、ヴィクラム。わかってるはずだ」

彼は微笑んだ。ほんの数秒間、かつてのヴィクラムがそこにいた。かつてのヴィクラムなら、私どころか、だれの手も借りずにゴアへネックレスを取りもどしに行っただろう。そもそも高利貸しに母親の婚礼用の宝石を渡したりしなかったはずだ。

タクシーに乗りこんだヴィクラムの目からは笑みが消えていた。私は見送りながら、彼を案じた。あれほどの楽天家が、愛に破れて危険な状態にいる。

私がふたたび歩きはじめると、ナヴィーンが横にならんだ。

「彼はあの人のこと、あのイギリス人女性のことをよく話していましたよ」ナヴィーンは言った。

「うまくいくはずだったんだがな」

「あなたのこともよく話していた」ナヴィーンは言った。

「あいつはしゃべりすぎだ」

「カーラやディディエやリサのことも話していたな。でもほとんどはあなたの話です」

「あいつはしゃべりすぎだ」

「あなたが脱獄した話をしていましたよ。逃げているって」

私は立ち止まった。

「こんどはきみがしゃべりすぎだ。いったいなんなんだ。伝染病か？」

リンに何が起きたのでしょうか。読者の知らない何かがあり、知られずにいることを望んでいるのは明らかです。どんな気持ちなのでしょうか。リンはことばにしませんが、それは重要ではありません。むしろ、リンがいきなりナヴィーンに食ってかかったときに読者が感じることのほうが重要です。

では、読者が感じることはなんでしょうか。まず、この場面は逆転があるように巧妙に設計されています。リンは、愛する人を失った悲しみからヴィクラムが薬物に溺れかねないと心配し、忠告を発します。けれども、その危険に陥る傾向が高いのはリンのほうです（リンが心から愛するカーラは、インドの裕福なメディア王との結婚を選びました）。リンが逃亡者であることをナヴィーンが口にすると、リンは警戒心を強めます。わたしたち読者も同様です。リンが何を感じているかはわかりませんが、自分がどう感じているかははっきりしています――「気をつけろ、リン！」。

これは『マウンテン・シャドー』の冒頭部のほんの一節ですが、わたしたち読者はサブテキストが描くものに気づき、身震いします。その小さな衝撃は、感情のしぶきが波のように高まり、やがて悲劇的な津波となって押し寄せることを予感させます。ボンベイに行かなければならない、そして離れられない、というリンのストーリーは、感情の動きをともなって展開していきますが、その動きはしばしば、人目を忍び、ひそやかで、目には見えません。小さなサブテキストが重なって、大きな効果を生みます。

見せる対象となるのは、表向きの行動や台詞など、目や耳にするものにかぎりません。状況や状態などは、客観的に示すことができるものでありながら、多くの感情を引き出します。見せることの巨匠であるアーネスト・ヘミングウェイの作品は、その好例です。小説の技法についての彼の考え方を見てみましょう。

何がそういう感情を喚び起したか、興奮させられた動作は何だったのかを知ることだ。そしてそれを、読者にもそれがわかるように、君と同じ感情を味わえるように、はっきりと書く。(「マエストロ相手の独白」、『ヘミングウェイ全集 第二巻　狩と旅と友人たち』所収、松居弘道訳、三笠書房、一九七四年、二〇四頁)

いかがですか。二〇世紀を代表する作家からのアドバイスは実にシンプルですね。簡単なことのように思えますが、実際にヘミングウェイ自身がこれにしたがって書いた作品は心をとらえるものです。短編小説「身を横たえて」(一九二七)の冒頭部分を読んでみましょう。

その夜、ぼくらは蚕室《さんしつ》の床に横たわり、ぼくは蚕《かいこ》が葉を食べている音に耳を傾けていた。蚕は桑の葉を敷いた棚《たな》で食べていて、彼らが食べる音や、ぽとりと葉に落下する音が一晩中聞こえた。ぼく自身は、眠りたいとは思わなかった。なぜなら、暗闇《くらやみ》の中で目を閉じて意識が薄れてゆくと魂が体から遊離してしまうという考えに、それまで長いあいだとりつかれていたからだ。本当に長いあいだ、そう思っていた。ある晩砲弾に吹っ飛ばされ、魂が体から抜けだして、いったん遠くに漂ってからもどってきたのを感じて以来、ずっとだ。そのことは決して考えないように努めたのだが、夜、まさに眠りに落ちようとする瞬間に、また思いだしてしまう。その考えを断ち切るには、並々ならぬ努力が必要だった。いまでこそ魂が本当に遊離するはずはないと確信できるのだが、あの頃《ころ》、あの年の夏は、その真否を本当に試してみる気にはなれなかったのである。(『ヘミングウェイ全短編1 われらの時代・男だけの世界』所収、高見浩訳、新潮社、一九九五年、四四三頁)

ここでヘミングウェイが見せているものはなんでしょうか。行動ではありません。不眠に悩まされている男の内なる状態です。彼は砲弾ショック(現在ではPTSD、心的外傷後ストレス障害と呼ばれるもの)に苦しんでいます。彼が回想する幽体離脱体験は、ヘミングウェイ自身も第一次世界大戦中に悩まされたものです。

ヘミングウェイの文体はどうでしょう。文学的でしょうか。けっしてそうではありません。ことばづかいは平易で、短い文章が無骨につながれています。気のきいたことばも見当たりません。一方で、葉を食べる蚕のイメージは珍しいものです。読者は書き出しでストーリーに引きつけられます。

さて、この一節を読んで、あなたはどう感じますか。わたしには、この文章は平易で、ぎこちないとも思えますが、印象的です。憐れみと静かな恐れ、無力感がひとつになったようなものが感じられます。そこには苦悩があります。横たわっているのは、戦争の後遺症に悩まされる兵士です。蚕が葉を食むように、幽体離脱体験の恐ろしさが彼を確実にむしばんでいます。

ヘミングウェイの文章は、視点人物〔ストーリーの世界をながめる位置に立ち、案内役となる人物〕が何を感じているかを教えてはくれません。ヘミングウェイが意図しているのは、ただ経験を書き表すことであり、読者はそこから何かを感じます。けれどもここで重要なのは、ヘミングウェイが書く経験は、皿を洗ったりお茶をいれたりするような平凡な日常ではないということです。不眠症もありきたりのものではありません。眠れずにいるのは、死そのものに取りつかれた元兵士です。

ヘミングウェイが読者に突きつけているのは、日常の些細なことではありません。書かれているのは重大なことです。わたしが強調したいのもこの点です。夜中に眠れずにいることだけでは、読者は何も感じません。その状況に感情という大きな荷物があればこそ、読者はその荷物を背負うことを選ぶのです。

こう書くと、ささやかなこと、平凡に思えることを書いても読者を魅了する作家はいるじゃないか、と思われるかもしれませんね。

その質問にお答えしましょう。

アンソニー・ドーアのベストセラー『すべての見えない光』（二〇一四）は、きわめて文学的な小説です。ドーアは、ことば、イメージ、瞬間に重きを置いています。その構造は、まるで文学の香り高い絵葉書を集めたかのようで、変化をもたらす場面ではなく、意味を持つ瞬間、登場人物の状態に光をあてる現実の断片で構成されています。

この小説の舞台は第二次世界大戦中ですが、一九三〇年代までさかのぼって、ふたりの主人公、若いドイツ兵と盲目のフランス人少女の幼い日々を描いています。少女マリー＝ロールはパリで育ち、父親は自然史博物館に勤めています。その博物館には、呪いの力を持つと言われるダイヤモンドが保管されていました。このダイヤモンドを展示する準備を進めるなか、博物館は迷信と不安にとらわれていきます。マリー＝ロールの父親の同僚が彼女を安心させようとする場面を読んでみましょう。

　ジェファール博士の答えも、さして変わらない。「ロールちゃん、どうやってダイヤモンドができていくのか、どうやって結晶ができていくのか知っているかな？　ごく微細な層、月に数千個の原子が次々に加わり、重なっていっていくのさ。何千年も何千年もかけてね。そうやって物語も積み重なっていく。どの古い宝石にも物語が積み重なっているものだ。きみがひどく知りたがっているその小さな石は、西ゴート族がローマを略奪するのを見ていたのかもしれない。エジプトのファラオの目のなかで輝いていたのかもしれない。スキタイの女王たちがそれを身につけて夜を踊りあかしたのかもしれない。その宝石をめぐって、いくつもの戦争が起きたのかもしれないな」

「パパが言うには、呪いは泥棒を怖がらせるために作られたただの物語だって。ここには六千五百万点の標本があって、もしちゃんと教えてもらえるなら、どれも同じくらい面白いはずだって言うの」

「それでも」と博士は言う。「人々を駆りたてる標本がある。たとえば、真珠や左巻きの貝殻だ。最高の科学者でさえ、ときおりポケットになにかを入れてしまいたい気持ちになる。それは本当に小さいが、本当に美しいものかもしれない。相当な価値があるかもしれない。もっとも強い人だけが、そんな気持ちに背を向けることができるのだよ」

　ふたりはしばらく黙る。

マリー＝ロールが口を開く。「そのダイヤモンドは、原初の世界からの光のひとかけらみたいだって聞いたわ。堕落する前の世界の。神から大地に降りそそいだ光のかけらだって」

「それがどんな見た目なのかを知りたいのだね。だから、そこまで興味があるのだろう」

彼女はアクキガイを手のなかで転がす。耳に当てる。一万の引き出し、一万の貝殻のなかの一万のささやき声。

「違う」と彼女は言う。「まだパパがそれに近づいたりしていないと信じたいの」（藤井光訳、新潮社、二〇一六年、五三‐五四頁）

「それは本当に小さいが、本当に美しいもの」「もっとも強い人だけが、そんな気持ちに背を向けることができる」ちょっと読んだだけでは、ドーアが文学について書いているように思えますね。実際には、ドーアが書いているのは博物館の標本のことです。この一節には、きらめくようなイメージがあふれています。宝石。地質学。呪い。では、イメージそのものが、わたしたち読者から感情を引き出すことができるでしょうか。そんなことはできません。不可能です。わたしたちの感情を引き出すのは、盲目の少女が父親を案じる気持ちです。

真珠や左巻きの貝殻は、たしかに美しいイメージですが、ただひとつの強い感情ほどの効果はありません。

《感情を引き出す技巧　演習問題その1》

効果的な見せ方

・あなたのストーリーから、主人公の心が乱れ、動揺したり、不安になったりする瞬間を選びます。むずかしい選択を迫られたとき、何かを強く必要としているとき、挫折や驚きを感じたとき、自己実現を果たしたとき、衝撃的なことを知ったとき、あるいはなんらかの形で圧倒された気持ちになったときなどがそうでしょう。その瞬間の内なる感情を、明確なものも隠されたものも含めてすべて書き出します。

・つぎに、主人公が感じていることを考慮したうえで、どのような行動をするかを書き出します。主人公の行動の限界を考えてみましょう。激情に駆られた行動、過激な行動、攻撃的な行動はどんなものでしょうか。また、主人公を象徴する行動も考えましょう。主人公は、問題の核心に迫るため、他人の理解をまとめるために、どんな発言ができるでしょう。遠まわりさせたり、本心を隠したり、先まわりさせたりしてみます。読者が予期しない感情をどのように見せるでしょうか。

・主人公だけが気づくような状況、あるいはほかの人たちとはまったくちがう見方で気づくような状況を詳細に書きましょう。

・最後に、この演習問題の最初に書き出した感情表現をすべて排除します。そして、行動と話しことばだけで見せるようにします。大げさだったり、あやふやだったり、行きすぎのように感じられても、とにかくやってみましょう。見せ方が度を越えているかどうかの判断は、他の人にまかせますが、多くの場合、見せ方が不十分になりがちです。

さて、ここでもう一度ヘミングウェイの作品を見てみましょう。ヘミングウェイは感情について書くのをきらっていたと言われていますが、それはかならずしも真実ではありません。純粋な感情をみごとにとらえた作品があります。「異国にて」（一九二七）という短編の一節を読んでみましょう。ミラノにある病院で、負傷した膝のリハビリを受けているひとりのアメリカ人兵士を描いた作品です。その病院では、ほかに数名のイタリア人兵士も治療を受けています。

最初のうち、仲間の若者たちはぼくの勲章に一目置いてくれて、どんな殊勲をあげたのだ、とたずねた。ぼくは彼らに表彰状を見せた。そこには美辞が連ねてあって、〝フラテランツァ（友愛）〟とか〝アブネガツィオーネ（犠牲的精神）〟といった言葉がふんだんに盛られていたが、そういう形容詞をみな取り除いてしまうと、要するに、ぼくはアメリカ人なるが故に勲章を授けられた、ということが書いてあった。それを境に、ぼくに対する彼らの態度は微妙に変わったが、町の人間を前にするとき、ぼくは相変わらず彼らの友人だった。そう、ぼくは友人だった。けれども、彼らがあの表彰状を読んでからは、ぼくはもう彼らの真の仲間ではなかった。なぜなら、彼らの場合はぼくとちがって、ぜんぜん別のことをして勲章をもらったからだ。ぼくもたしかに負傷したが、本当のところ、戦場で負傷するのは単なる偶然にすぎないことを、ぼくらはみんな承知していた。でも、ぼくはあの勲章を恥じてはいなかったし、ときどき、カクテルを飲んだあとなど、彼らが勲章をもらうためにやったことなど自分だってやれただろう、と想像することもあった。けれども、夜、商店がみな店仕舞いして寒風の吹きわたる、人気のない道を通って宿に帰るときなど、なるべく街灯から離れないように歩きながら、ぼくはつくづく、自分には決してあんなことはできなかったろうな、と思うのだった。ぼくは死ぬのがとても怖かった。夜、ベッドに一人横たわって、死への恐怖に包まれながら、こんど前線にもどったらどうなるだろう、と不安に襲われることもしょっちゅうあった。(『ヘミングウェイ全短編1　われらの時代・男だけの世界』所収、高見浩訳、新潮社、一九九五年、二八七―二八八頁)

「死ぬのがとても怖かった」これほど直接的な表現に出会うのは珍しいはずです。このように直接的で平易な感情が、強い効果を生むことはめったにありませんが、ここでは成功しています。なぜかというと、わたしたち読者はすでに、ことばにされていない感情に心を引きつけられているからです。それは、恥という感情です。それによってわたしたちの心は開かれ、感情のうねりに乗せられています。そこへ「死ぬのが怖い」というありのままの感情がシンバルの音のように響きます。

見せることに効果があるのは、そもそもその行為に感情がこめられているからです。シリアルを盛りつけたり、家の片づけをしたりといった、日々の現実の描写では、あまり感情を引き出すことはできないかもしれません。うまくいくとすれば、すでに強い感情がそこにある場合です。

内側から書く
――登場人物の感情を語る

登場人物の気持ちを書き出すことは、読者も同じ気持ちにさせるための近道だ、なんと言っても登場人物を通してストーリーを体験しているのだから、彼らの体験することが読者の体験になる――そう考えていませんか？　けれども、実際にはその逆です。登場人物が感じていることをページに書き連ねていくと、かえって読者が何も感じない可能性が高くなります。

例をあげましょう。「彼は恐怖で全身が総毛立った」これを読んで、あなた自身の全身の毛が恐怖で逆立つでしょうか。おそらく、ならないでしょう。「彼女の目は憎しみの矢を放った」激しい怒りを感じますか。まずありえませんね。

感情がかき立てられないのは、もちろん、使い古された表現だからです。憎しみの矢と言われても鋭さは感じません。読者を刺激するのは、みずみずしく、思いがけない感情です。しかも、その感情は偽りがない真実のものでなければなりません。そうでなければ、嘘っぽく、不自然になります。それでは読者の心を揺さぶることはできません。

すぐれた作家は、お決まりの感情に背を向けます。読者の意表を突くために、深い層から感情を引き出します。使うことができる感情は実にさまざまです。ストーリーの状況を表す感情は、ひと目では把握しきれない巨象のようなものです。その瞬間に起きていることに対する見方、感じ方は千差万別です。ある時点でストーリーを止め、視点人物にどう感じているか聞いたとしたら、答えはひとつではないはずです。ふたりの登場人物に尋ねても、ふたりから同じ答えが返ってくるはずはありません。

人間とは複雑な存在です。表向きの感情と、その下に隠された感情があります。小さく見せ、ひた隠し、否定する感情があります。心をさらけ出し、無防備にするような、自分でも持て余す感情があります。ひどく些細な感情もあれば、愚かなまでに高揚する感情もあります。感情は、歴史や道徳観、忠誠心、そして政治からの影響を避けられません。

感情は共有することもできます。他人の感情を責めることもあります。意地悪く、自分本位で、破壊的な感情は他人が持つもので、自分が持つのは気高く、無欲で、勇敢な感情だと考えます。葬式で笑うかと思えば、結婚式で涙を流します。

愛や憎しみといったはっきりとした感情のときもあれば、あやふやな感情のときもあり、流行の靴に夢中になるかと思えば、テレビに映る悲惨な出来事を軽く流します。善悪に敏感であるかと思えば、子供たちには見せられない姿をさらします。矛盾をかかえて歩きつつ、愛にあふれています。

感情は動きつづけ、変化します。一瞬にして正反対になることもあります。わたしたちは悩み、混乱し、いら立ちますが、それは、自分のなかに矛盾する感情があることを意味します。行き詰まり、心を閉ざし、冷淡になることや、混乱することもあります。心がくじけることもあれば、生まれ変わることもあります。覚醒し、自分を認識し、希望や喜びを味わいます。

人間にはこれほど豊かな題材があるのに、多くの原稿が限られた感情しか描いていないのには失望させられます。盛大な祝宴を開きたいのに、ハンバーガーのメニューを手に、肉は一枚にするか二枚にするか、ポテトはMサイズかLサイズか、という程度の選択肢しかないようなものです。単純な基本的感情しか描いていない原稿が多すぎます。そのほかの原稿といえば、ただの自己顕示や、「ウケねらい」にすぎないもの、登場人物の感情の描き方が雑なものなどが目立ち、不可解な現代美術のギャラリーに来たような気分になります。これでは共感を覚えることはできません。

作家が最初に書くことを選ぶ感情は、多くの場合、明快でわかりやすく、無難なものです。売れる本を書くために使うべきだと作家が考える感情です。基本的感情はたしかにだれにでもありますが、そればかりを使って書くことは視野を狭めます。

では、感情面での驚きを生み出すにはどうすればいいでしょうか。技巧に富むことと親しみやすさは両立可能でしょうか。思いもよらない感情でも、正しく受け取らせ、共感を得ることができるのでしょうか。もちろん可能です。

まずは、抑圧された感情を描く達人、レイ・ブラッドベリの作品を見てみましょう。『華氏451度』（一九五三）の主人公ガイ・モンターグは、本の所持が禁じられた社会で、本を焼却する「昇火士《ファイアマン》」です。職務を楽しんでいたモンターグですが、一七歳の少女との出会いによって心が目覚めます。変わりはじめたモンターグは、大量の本が隠された家を燃やすために出動したとき、一冊の本を手元に隠します。その家は本もろとも灯油《ケロシン》を浴びせられ、住民である老女は立ち去るよう警告されます。それを拒絶した老女の手のなかにあるもの、それは――

よくあるキッチンマッチだ。

見たとたん、男たちは一目散に家からとびだした。ベイティー隊長は威厳を保とうと、玄関ドアをゆっくりとあとじさる。その顔は、一千の火と夜ごとの高揚にピンクに灼け、あぶら光りしている。なんとまあ、本当じゃないか！　通報はいつも夜に鳴る。昼間は無し！　これは夜のほうが火は見栄えがするからか？　壮大な見もの、華麗なショウになるからか？　ドアのところに立つベイティーは、いまその顔にうっすらとパニックの色を浮かべている。女の手がマッチ棒の上でひくついた。ケロシンのいきれが女の周囲にたちのぼる。隠した本はモンターグの胸をたたきつづけている。（伊藤典夫訳、早川書房、二〇一四年、六七頁）

思慮の浅い作家なら、これから起きることに対するモンターグの恐怖に焦点をあてるはずです。「ダメだ！　やめろ！」と。けれどもブラッドベリは、あからさまな感情が期待する効果をもたらさないことを知っています。そこでこの思慮深い作家は、読者が予想もしない感情を描きます。モンターグの興奮です。

なぜ興奮なのでしょうか。昇火士として、火をつけることを楽しんできたモンターグは、燃える本をながめるスリルを知っています。ベイティー隊長の顔に浮かんだ高揚を見たモンターグには、心が変わりはじめているにもかかわらず、スリルを楽しむ気持ちがわずかのあいだ起こります。予想しなかった感情をブラッドベリが描いているため、読者自身も何かを感じずにはいられません。この恐ろしい状況のなかで、読者はモンターグの感情を自分の感情と照らし合わせることになります。そうせずにはいられません。彼の興奮を、わたしたち読者も感じるのでしょうか。ありえません。モンタージュになりきらないかぎり。

ブラッドベリ以前にも、トマス・ハーディ、イーディス・ウォートン、フレデリック・フォーサイス、D・H・ローレンスなど、文豪と呼ばれる作家たちが、感情について書くことは、ストーリーの構成に何よりも欠かせないものであることを見抜いていました。彼らはまた、感情について効果的に書くには、技巧が、言い換えれば、意外性が必要であるということを熟知していました。

ダフネ・デュ・モーリアの作品としてはあまり知られていませんが、『レイチェル』（一九五一）という非常にすぐれた小説があります。主人公である若くむこうみずなフィリップ・アシュリーは、年の離れた独身のいとこアンブローズを親代わりとして育ちます。敬愛するアンブローズが療養のためにイタリアで冬を過ごすことになり、フィリップは落胆しますが、自分がいずれ相続するはずのアンブローズの領地を管理するためにこの地に残ります。アンブローズ不在のあいだ、すべてが憂うつでしたが、さらに大きな衝撃がもたらされます。アンブローズがある女性と出会い、恋に落ち、結婚したという手紙が届いたのです。相手はフィリップにとってもいとこである、美しく、そして謎めいたレイチェルでした。

デュ・モーリアはこの瞬間をつぎのように表現しています。

手紙が届いたのは五時半ごろ。ちょうど夕食を終えたときだった。幸いそばには誰もいなかった。シーカムは郵便物の袋を持ってきて、そのまま退《さが》っていた。わたしは手紙をポケットに入れ、野原を突っ切って海まで歩いていった。浜で製粉所をやっているシーカムの甥が、こんにちは、と声をかけてきた。彼は沈みゆく夕日のなかで、石塀に網を広げて干していた。こちらはろくに返事もしなかった。きっと無愛想なやつだと思ったろう。わたしは岩を乗り越え、湾に突き出した細長い岩棚に出た。それは夏によく泳いだ場所だった。アンブローズはいつも五十ヤードほど先でヨットを泊め、わたしは彼のほうへ泳いでいくのだ。そこに腰を下ろすと、わたしはポケットから手紙を取り出し、もう一度読み返した。もしも少しでも共感や喜びを感じることができたなら、ナポリで幸せを分かちあっているふたりに、ほんのわずかでも温かな気持ちを抱くことができたなら、あれほど気がとがめはしなかったろう。恥じ入り、自分の身勝手さを苦々しく思いながらも、この胸にはなんの感慨も湧いてこなかった。わたしはすっかり打ちのめされてその場にすわり、波ひとつない穏やかな海をぼんやりと眺めていた。ついこの間、二十三になったのに、何年も前、ハロー校で、四年生の席にすわっていたときと同じように、孤独で心細い気分だった。わたしは、助けてくれる人もなく、初めての経験ばかり押しつけられようとしている、あの少年だった。（務台夏子訳、東京創元社、二〇〇四年、三二頁）

アンブローズから知らせを聞いたフィリップが感じる憂うつさは、身勝手で受け入れがたいものではないでしょうか。フィリップは自分を恥じています。アンブローズとレイチェルのために幸せを祈るべきだとわかっていながら、心にまったく喜びが浮かびません。それでも、それこそがフィリップの気持ちです。ふたたび孤児となる——後見人に見捨てられ、寄宿学校へ送られてしまう。孤独な体験です。

フィリップの内なる状態を、あなたならどのようなことばで表現しますか。打ちのめされる、失意に沈む、それとも、見捨てられた、でしょうか。この三つのうち、この一節で使われているのは最初のものだけです。それでも、フィリップの内なる状態がどんなことばを使っても表現しきれないものであることがわかります。デュ・モーリアがどのような技法を使っているか見てみましょう。

まず、隠喩（アンブローズが待つヨットまで泳いだ記憶）を使って、フィリップが心の支えを失ったことを巧みに表現します。そして、現在の心境と似かよった感情（ハロー校で孤独に悩まされたこと）を書いています。また、フィリップが感じるべき別の感情（共感、喜び、幸せ）を並べ、自分の感情について道徳的な判断をさせます（あたたかな気持ちを持てない自分を恥じる）。やがてフィリップは自分の気持ちを止めることはできないと感じ、自分の感情を正当化します。「打ちのめされた」というわかりやすい感情では終わらせず、深く掘りさげていることがわかりますね。

まとめてみましょう。デュ・モーリアが感情を描く技法は、（1）類似の感情、（2）別の感情、（3）道徳的判断、（4）正当化、という四つの側面から成り立っています。フィリップが感じていることをただ述べるのではなく、どのような感情がほかに考えられるか、なぜフィリップはそう感じるほかないのか、読者に示しているのです。

《感情を引き出す技巧　演習問題その2》

深層にある感情

・あなたのストーリーから、主人公が何かを強く感じる瞬間を選びましょう。その感情を書きとめます。つぎに「この瞬間、ほかに何を感じている?」と主人公に尋ねましょう。それも書きとめます。最後に「それでは、いまほかに感じていることは?」と尋ねてください。それも書きとめます。

・三番目に書きとめた、深層にある感情について考えましょう。四つのステップで検討していきます。

(1)類似する感情を考えて、客観的に見てみましょう。この感情を持つのは、どんな気分でしょうか。

(2)それについて道徳的な判断をします。この感情を持つのはよいことでしょうか、悪いことでしょうか。その理由は?

(3)別の感情を考えます。もっとよい人間なら、どう感じるでしょうか。

(4)この感情を正当化します。その瞬間に持つ感情はこれしかないという理由を考えます。

・シーン全体も見渡してください。ほかの人には見えていないもので、あなたの主人公には見えているものはありますか。主人公にしかできない見方で、主人公にしか見えないことをひとつ追加してください。
・この瞬間についてストーリーに新しい一節を書いてみましょう。深層にある感情を主人公が強く（そして詳細に）感じるようにします。

この演習問題に取り組むには、先ほどのデュ・モーリアの技法についての説明が参考になります。なぜ深く掘りさげるのでしょう。その理由のひとつに、読者のために長めの描写を書くことがあります。それによって、おそらく一五秒程度ですが、読者の脳が処理する時間が生まれます。その時間は貴重です。そのあいだに、読者は自分自身の感情面での反応に気づくことができます。それは、作者が知りえない反応です。

知りえないと書きましたが、ほんとうでしょうか。さて、ここからがおもしろいところです。たとえば、恐怖という一般的な感情（少なくともストーリーのなかでは）を取りあげてみましょう。恐怖について書いても、読者に恐怖を感じさせることはほとんど不可能です。わたしのワークショップでは、登場人物が恐怖を感じる瞬間を参加者に選んでもらいます。そして、演習問題と同じように、深層にある感情を掘りさげて考えます。こうしてできあった文章を読んで、ほかの参加者は何を感じたか発表します。どういう感想が出ると思いますか？

「恐怖」です。

いかがでしょうか。わかりやすく感情を書き表しても、読者は何も感じません。けれども、思いもよらない感情の現れを目にすれば、読者自身の感情に火がつきます。それこそが、最も重要で明白な感情と言えるでしょう。深層にある感情を考えること。それが感情を語るための効果的な方法です。

第三の方法
――読者の感情を引き出す

繰り返しになりますが、読者がストーリーから得る感情面での経験は、登場人物の感情の動きから生まれるのではありません。読者自身のなかから生まれるものです。見せることも語ることも、読者の感情を引き出す技法の一部ですが、あくまで一部でしかありません。それ以外のページに記されたことから読者が受ける刺激のほうが大きな割合を占めます。

読者がどう感じるかはそれほど気にしなくていいと思われるかもしれません。作者としてあなたが感じてほしいと思うことを感じるか、感じないかのいずれかなのですから。けれども、その考え方は偶然に頼りすぎています。感情面への影響は偶発的なものだという誤った考えにつながります。あなたの作品を読んで読者が何を感じるかはコントロールできませんが、そもそも何かを感じるかどうか、そしてその感情がどれほど強いものになるかはコントロールできます。

　作品を読むとき、読者の心のなかでどんなことが起きているのでしょうか。ひとりひとりの読者は、ストーリーに対してその人独自の反応をします。予測はできませんが、偽りのない反応です。読者は自分の性格、経歴、物の見方、道徳観、好き嫌い、気分などの影響を受けながら読んでいます。その判断は作者とは一致しません。これでは、作家が読者の気持ちをコントロールするどころか、予測することすらむずかしく思えます。

　これについては、心理学による研究が参考になります。研究によれば、エンターテイメントにお金を払う人々が何よりも求めているものは体験です。言うまでもないことですね。「体験」というと単純に聞こえますが、これは重要です。ど・の・よ・う・な体験でしょうか。研究によれば、読者が求めているのは、当然のことながらポジティブな体験です。

　ここで「ポジティブ」が意味するのは、楽しさ、サスペンス、気晴らし、そして心理学者が「信念の肯定」と呼ぶ、読者の期待どおりにストーリーが展開される満足感です。それには、ハッピーエンドだけでは不十分です。読者の信念を肯定し、道徳観を実証する必要があります。けれども、それは作者が望むことでもあるのでしょうか？　そうとはかぎりません。

　作者が望むのは、読者の感情を刺激することです。そして読者もその刺激を望んでいることが研究によってわかっています。

　エンターテイメントは、読者のなかに自信や、主体性、共感という感情を芽生えさせます。ひとつずつ考えてみましょう。自信は、ストーリーのなかで提示される課題を克服することから生まれます。文学作品の読者は特に、課題の克服を好む傾向にあります。主体性とは、自分はユニークな本を選んでいると読者が感じることですが、多くの人がベストセラーを購入することを考えると、少しちがうかもしれません。共感は登場人物への愛着から生まれるものです。これについては第5章で「ディスポジション理論」として説明しています。

作家が読者を刺激することの意義を裏づける研究をさらに紹介しましょう。エンターテイメントが真価を発揮するのは、読者に目新しさや刺激、美的価値を示すときであり、その結果、「認知的評価」が起こります。わかりやすく言うと、目の前の出来事を考え、推測し、疑問を持ち、みずからの経験と比較するということです。医学的観点から見ても、これは実際に人間の健康と幸福のために欠かせません。ストーリーをかみ砕くようにじっくりと味わうとき、読者はほしいものだけでなく、体によいものも取り入れているのです。

かみ砕くことによる「咀嚼効果」には、ほかにも利点があります。じっくりと味わったストーリーは、読者の記憶に残る可能性が高くなるのです。記憶とは単純なものではありません。わたしたちが読んだものは、直近に経験したことを保持する「感覚記憶」でまず処理されます。つぎに、咀嚼をおこなう「ワーキングメモリ（作動記憶）」に処理が移ります。ワーキングメモリに長く留まった記憶は「エピソードバッファ」でまとめられて、わたしたちが記憶を取り出す場所である「長期記憶」に保持されます。

つまり、読者は心の底で、あなたのストーリーについてではなく、自分自身についての手応えを得たいと思っているのです。読者が望むのは、自分が動くことです。予想し、推測し、考えて、判断することです。物語を読み終えて、自信を持ち、達成感を感じたい、登場人物とつながり、その架空の世界を体験したい、あるいは体験したと信じたいのです。

読者にそのような体験をさせるには、単にプロットに沿って語るだけでは不十分です。プロットの展開によって感情が引き起こされることはあっても、それは限られた範囲にとどまります。プロットとは、読者の好奇心を引きつけ、興奮と驚きを与えるもの、あるいはそうあってほしいと読者が願うものですが、それ以上のものではありません。これまで見てきたように、登場人物の感情もそれだけでは限界があり、影響は限られています。

　感情に訴える力は、ストーリー全体から生み出されます。読者がその力を知るのは、ストーリーについてだけでなく、自分自身について学び、問いを発し、考えをまとめなければならないときです。つまり、読者が望み、必要としているのは、自分の感情が導かれることなのです。

　第三の方法とは、ひとつの技法や原則で表せるものではありません。オーケストラのように、数多くの要素を編成して、ほとばしる感情を引き出していきます。すべての楽器が一体となって調べを奏でるとき、わたしたちの心は高揚し、驚きの世界へといざなわれます。そのとき、心は大きく開かれているのです。

　自分の小説で人々を、さらには歴史を変えたいとは思いませんか。それは夢ではありません。ほんとうに変えることができます。けれども、そのためには、感情を強く揺さぶる力がストーリーに必要です。どうすればその力を持つことができるでしょうか。その答えを探すことが、つづくページのテーマです。

第 3 章

感情の世界

The EMOTIONAL WORLD

高いところから飛びこむ、田舎道を歩く、コンピューターがフリーズするのを目撃する、ゴールテープを切る、朝のアラームを聞く、駐車スペースを探す、記念日に乾杯する、葬儀のあとで友人を抱擁する。そんな人生のワンシーンであなたは何を感じますか？　恐怖、平穏、いら立ち、安堵、不本意、忍耐、誇らしさ、満足、それとも、とにかく人生はつづいていくのだからと、どうにか耐えられる悲しみ、そんな感情でしょうか。

わたしたちは人生を感情として経験しています。それなのに、多くの小説で感情がごく控えめにされたり、まるごと省いたりされているのはおかしな話です。まるで感情は適切な主題ではないと言わんばかりに。感情について書くことが単純すぎるかのように。たとえば、恋愛小説のように感情を称えた作品でも、限られた範囲のありきたりな感情のパレットしか使っていないこともあります。感情あふれる物語に浸りながらもなぜか空しい。そんな気持ちになることはありませんか？　それではいけません。

ストーリーのなかの感情は、登場人物に対しても読者に対しても、もっともっと豊かにすることができます。そうであってほしいと作家なら思いますよね。しかし、それをどうすれば行き詰まらずに、わかりきったことで読者を飽きさせずに実現できるのでしょうか？　ストーリーを生き生きと、刺激的に、外向きに変化させつづけることが使命だというのに、内向きで、自省的で、形のない静的なものに、いったいどうすればページを割けるというのでしょう。しかも、感情はストーリーではありません。

それでもすぐれたストーリーテラーは、小説のそのほかの要素と同じように、感情で読者を引きこむことができます。登場人物の感情の動きを、単なる付け足しにするのではなく、それ自体を焦点にします。よくある感情を新鮮に、小さな感情を大きく描写します。読者を暗黒面に引きずりこむことなく、陽の光でうんざりさせることもなく、登場人物の感情の世界に没入させます。高潔な感情をかき立てて、忘れがたいストーリーにします。

これはどうやって成しとげるのでしょう。小説の要素には、それ自体では感情を引き出せないものがあります。声、密な視点、イメージ描写はその例です。声は、読者の注意を引きつけます。密な視点は、一時的にだれかほかの人になったかのような錯覚を起こさせます。巧みな描写は、架空の場所を驚くほどリアルにしてくれます。大いにけっこう。すべて必要です。でも、どれも感情ではありません。

では、小説のなかの感情とはなんでしょうか？　読みながら感じさせる手法を見てみましょう。

自己主張する語り

「わたしについて話しましょう！」

一般的に、社交の場でこんなふうに振る舞うのは、あまりいい考えではありません。人の話に耳を傾け、質問するほうがよっぽどうまくいきます。他人に興味を持つことで友人ができ、人々に影響を与えることができます。ところが、小説の読者と登場人物との結びつきは、これとまったく逆のほうが正解です。読者は、最初に心を開いた登場人物に心を開きます。

登場人物の心を読者へ開くためには、その人物の内側で起こっていることをたくさん教える必要があります。わたしが目を通す原稿の多くは、登場人物の胸の内があまり表に出てきません。たいていの場合、登場人物、というよりその創作者が、起こったことを単に報告するだけです――無味乾燥な、アクションの実況放送をしているにすぎません。ウィットに富み、皮肉に満ちた一人称の声で語られるヤングアダルトやニューアダルト［ヤングアダルトが一二歳から一八歳までを対象にした文学を指すのに対して、一八歳から三〇歳近くの読者を対象としたカテゴリー］、その他のジャンルの小説でも、かならずしも心を開いているわけではありません。皮肉や嫌味、軽妙な語り口は、実は読者と親密になることを避けるために用いる手段のひとつです。文学的な作品もそれほど親近感を与えてくれません。「丹念に観察された」人生だからといって、読者が関心を持つとはかぎらないのです。

わたしはいろいろな場所で、ストーリーの世界を構築するには、見た目や音、感触、におい、味を描写するより、登場人物の経験を伝えるほうがうまくいくと説明しています。感情の世界を開くのも重要ですが、そのためには、登場人物がその世界で経験することだけでなく、内面で経験することも掘りさげる必要があります。

一部の作家にとっては、これは厄介かもしれません。たとえば、プロット重視のストーリーテラーは、アクションがもたつくことを心配するでしょうし、キャラクター重視の作家は、登場人物の内面を読みちがえられて、些細なことで長年の努力が台無しになるのではと不安に思うことでしょう。こうした恐怖心から感情を効果的に使用できないわけです。実は、たいていの小説は、登場人物の内面を開いていています。しかし問題なのは、開ききれていないことです。だからといって、登場人物の思いのたけをページにぶちまけても、たいした効果は期待できません。

読者が感情移入できる世界を創造するということは、その世界に対する疑問や不安を生じさせるということです。物語の世界に読者を迎え入れ、その場所について好奇心を持たせたり、不安な気持ちにさせたりします。一人称の語り手の場合、現代風の自己完結的な語り口であれば、自然と感情移入するだろうと思うものですが、その考えはあてになりません。ほんとうの感情移入は登場人物のおしゃべりを楽しむだけではなく、意識しているかどうかにかかわらず、読者が自分のことを振り返らずにはいられないときに発生します。

何が刺激となって、自己の深い感覚は呼び覚まされるのでしょう。読者はどうやって元気になり、重荷をかかえこみ、自分の皮肉に苦笑し、悩みから抜け出し、きょうのところはひとまずうまくいったと感じるのでしょう。現実世界でこんな気持ちになるのは、他者と衝突したり、相手の気持ちを感じとったりするときです。わたしたちは、意見を対立させ、偏見に背を向け、ロックコンサートで大声を出し、フットボールの試合で応援し、同意してうなずき、暴徒に加わって投石し、天に向かって両手をひろげ「アーメン」とつぶやいたりします。そうしたことは、小説のなかでも似たような影響を及ぼします。小説を読んでいると、他者――この場合は登場人物――が強く感じていることに反応します。強い感情は招待状です。ひょっとすると挑戦状かもしれません。強い感情は、登場人物がどんな気持ちなのか判断しろと読者に迫ります。読者は同調したりしなかったり、その人なりの基準があります。

小説は、ポップスやラップ、ブロードウェイのショーで歌われる曲とあまり共通点がないように思えますが、歌の主題によっては、ページ上でもうまく読者の気を引くことができます。それは、「わたしはこうだ《アイ・アム》」と宣言している歌です。ボブ・ディラン版の「アイ・アム・ア・マン・オブ・コンスタント・ソロー」〔邦題「いつも悲しむ男」〕という古いフォークソングはご存知ですか？　ヘレン・レディのフェミニスト賛歌「アイ・アム・ウーマン」〔邦題「私は女」〕や、サイモン＆ガーファンクルの「アイ・アム・ア・ロック」〔「ぼくは岩」という意味〕、あるいは、ザ・ビートルズの不条理なナンバー「アイ・アム・ザ・ウォルラス」〔「ぼくはセイウチ」という意味〕はいかがですか？　どれも、わたしはこうだと高らかに宣言している歌です。

小説の登場人物たちも同じことができます。とはいえ、単純に胸を張って宣言すればいいというものではないことをしっかり理解しておきましょう。「わたしはこうだ」と伝えるねらいは、あることが真実だと宣言することではなく、強引に主張していることが、実は嘘かもしれないと、読者に疑念を持たせることにあります。

ネオゴシック小説『13番目の物語』〔二〇〇六〕がベストセラーになった英国の小説家、ダイアン・セッターフィールドは、二作目として、ヴィクトリア朝の商人ウィリアム・ベルマンの不気味な盛衰を描いた教訓的な寓話『ベルマンとブラック』〔二〇一三／未訳〕を発表しました。ベルマンは少年時代にパチンコでミヤマガラスを打ち殺しました。ミヤマガラスには手を出さないことです。カラスは危害を加えられたことをけっして忘れません。ベルマンは、黒ずくめの謎めいた訪問者（もちろん、あだ名はミスター・ブラックです）に取りつかれます。その男はベルマンの人生の折々に出没し、悲劇にも好機にも影響を及ぼします。

ベルマンは、このミスター・ブラックから、ロンドン最大の喪服専門店、ベルマン&ブラック商会の設立を思いつきます。この店で扱うものはすべて黒です。店は大いに繁盛するでしょう。開店を間近に控え、ベルマンは活気に満ち、とてもいい気分です。おおよそのところは。


ロンドンはいかに広大であることか。住居の数も、商いや人口もいかに大規模であることか。この街で暮らしていて、ベルマン&ブラック商会が提供する品や奉仕を一度も求めない者など、ひとりたりともいないだろう。ベルマンはゆっくりと首をめぐらせ、外の景色を四方八方に見渡した。暗くなりかけた空には鳥たちが思い思いに飛びまわり、その下には慎ましく貧しい家並みがずらりと全方向へひろがっている。そのうちの一軒、たとえばリッチモンドの住居で、たったいま男がくしゃみをした。メイフェアの家には震えている者がいる。スピタルフィールズのマーケットでは、汚染まみれの牡蠣がだれかの喉を通過しているところで、ブルームズベリーでは、すでに飲みすぎている男がさらにグラスを重ねる……数えあげればきりがない。万事うまくいくだろう。きょう病に倒れた者が、あすには死体となり、木曜日にはベルマン&ブラック商会が扉を開いて遺族を迎え入れる。この商いは失敗のしようがない。

これは、ウィリアム・ベルマンが作りあげた偉大な機関だ。ベルマンの機関であり、あすになれば使用人たちがその炉にくべる石炭となり、蒸気となって車輪を動かす。客が押し寄せてくれれば、金をむしり取っては釣り銭を吐き出して客の懐と心を軽くする、金銭と慰めを交換する仕組みが稼働する。ベルマンは成功者だ。その証がこの商店、ベルマン&――

手が震えていた。ベルマンは何かを忘れていた。生まれてこのかた、これほどまでに確信したことはなかった。腹に羽がうず巻き、胸が激しく乱れた。ベルマンは何かを思い出す寸前だった。


ウィリアム・ベルマンの自己満足は、ちょっと早すぎはしませんか？　そのとおりです。ベルマンは、幼少期に何気なく殺したミヤマガラスをはじめ、他者の命を軽視する罪滅ぼしをさせられていることに気づいていません。ベルマンは健康体であるのに対し、家族は病気がちでつぎつぎと亡くなります。骨身を惜しまず働いて大成功をおさめますが、人生の好機を逃します。せっかくの美声も生かされません。ミスター・ブラックはベルマンに望んだものを与えますが、最も必要なものを奪います。

ミヤマガラスには手を出さないことです。しかし、小説家をめざしているなら、つぎの黄金の教訓を胸に刻みこむといいでしょう。登場人物が自画自賛しているときは、その祝福ムードにかすかな不安が帯びるようにします。

打ちあげ花火は影も落とします。

ギリアン・フリンの『ゴーン・ガール』（二〇一二）は、ダークな喜びをもたらす小説です。わたしが最近読んだ小説のなかで、ひょっとするとこれまで読んだなかでも最大の、あっと驚く展開が待ち受けています。この小説は進んでいくにつれて、「わたしはこうだ」の逆、すなわち「わたしはちがう」と主張する一節が登場します。

まずは、少し背景を説明しましょう。

『ゴーン・ガール』は、過去から現在へ至る小説で、前半と後半に分かれています。前半は、ニューヨークの雑誌記者を辞めたあとに、ミズーリ州の冴えない町カーセッジで妹と共同でバーを経営する、道徳心の欠けた男ニック・ダンが語りを務めます。後半は、ニックの妻エイミーが、過去へさかのぼって語るという構成です。エイミーは、児童文学作家の両親から育児放棄されて育ち、なんとも皮肉なことに、両親が彼女の名前にちなんでつけた主人公アメイジング・エイミーを描いたシリーズ作品は大ヒットします。

小説の冒頭で、エイミーは行方不明になり、どうやら誘拐され、殺害された可能性があるとつづられます。ニックは第一容疑者であり、彼に不利な証拠は山のようにあります。語り手であるニックを信頼できないことは証明されているので、ニックをうたがう理由はじゅうぶんです。ふたりの求婚期間と結婚生活をつづった、エイミーの率直であたたかくて個人的な日記の一節と、ニックの不愉快な個人的暴露が隣り合って配される構成です。序盤で、エイミーは自分の基本原則のひとつを宣言し、それがニックにとって自分が完璧である理由のひとつであることを説明しています。

ニックとわたしには、妻が愛のあかしとして夫に嫌なことを強要するのが滑稽に思えてしかたがない。くだらない用事を言いつけたり、無数の犠牲を強いたり、些細なことでたびたび降参させたり。そういう男たちのことを、ふたりのあいだでは、〝猿まわしの猿〟と呼んでいる。

たとえば野球場に出かけたニックが、しょっぱい汗のにおいをさせながらビールでほろ酔いになって帰ってくる。そうしたらわたしは、彼の膝に乗って、「試合はどうだった?」とか「友達のジャックと会えて楽しかった?」と尋ねる。するとニックは、「それがさ、あいつも、〝猿まわし〟病にかかっててさ。ジェニファーが気の毒に〝ストレスだらけの一週間〟だったとかで、どうしても外出させてもらえないって言うのさ」

ニックの同僚のだれかは、田舎から出てきた友人とビストロでディナー中だから顔を出してと恋人に言われ、飲みに行けなくなった。ふたりを引き合わせたかったから、だそうだ。自分のお猿がどんなに従順か見せびらかしたいのだ。彼、電話したら飛んでくるでしょ、毛づくろいも完璧でしょ、と。

これを着て、それは着ちゃだめ。いますぐこの家事をやって、それから時間があったら——というのはつまりいまだけど——そっちもやって。それから、わたしのために好きなことをあきらめて。絶対に。そしたらわたしがいちばんだって信じられるから。女って、わがままコンテストでもやっているみたいだ。読書会やお酒の席なんかでは、いかに夫が自分のために犠牲を払ってくれるか打ち明けあうのが、なにより楽しそうに見える。「まあぁ、なんて優しいの」って合いの手を入れながら。

自分がその一員でなくてうれしい。わたしは違う、わたしはガミガミ責め立てて楽しんだり、ニックに理想の夫像を押しつけたりしない。肩をすくめて、文句も言わず、愛想よく「ゴミを出してくるよ、ハニー」なんて言う夫を求めたりしない。でもそういうのが大多数の妻にとっての夢の夫で、反対に男の理想は、優しくて、ホットで、おおらかで、セックス

> と強いお酒が好きな女、ということになっている。
> 　わたしは自信があって、動じなくて、成熟した女だから、いちいち証拠を見せてもらわなくてもニックの愛を信じられる。そう考えるのが好き。みじめったらしい猿まわしの一部始終をくどくど友人たちに話して聞かせるのなんてまっぴらだ。彼が彼らしくいてくれたら、それで満足。
> 　どうして女って、そう考えられないんだろう。（中谷友紀子訳、小学館、二〇一三年、上巻一一〇－一一二頁）

男性諸君、これは話がうますぎると思いませんか？　この女性は、むきになって否定してはいないでしょうか。いいですか、油断は禁物です。作者のフリンは、自分が生み出した登場人物たちとも、読者ともゲームをしています。それも大がかりなゲームを。わたしたちの認識が危うくなっています。何が起こっているのかちゃんとわかっている、そう思っているなら待ってください、あなたはわかっていません。フリンが創造する世界は、何もかもが見かけどおりではないのです。それはニックの語りからわかるし、不穏な結末へ向かって展開される驚きのプロットからも知ることができます。

　この引用部は、「わたしはちがう」と宣言することで逆説的に、なら、あなたはだれ？と考えさせるものです。フリンは、登場人物たちは真実を語っているのだから信じなさいと、読者に迫ります。お伝えしておきます、ぜったいに信じないように。フリンは読者を翻弄しているのです。また、自己主張する語りで読者の心を乱すには、不安にさせたり、少なくとも疑念を持たせたりする必要があるということも覚えておいてください。

そして何よりも必要なのが、読者に自分自身をうたがわせることです。自己主張する語りは、「わたしが、わたしが」といった単純な主張にとどまらず、わたしを、議論や不調和、発見の主題に仕立てることもできます。どのシーンにも登場するわたしが謎めいていて、動く標的であり、原動力でもあり、ピンと張ったトランポリンであるならば、読者はその上で飛び跳ねます。自分は複雑な人間なのだと登場人物が伝えてくるとき、読者も複雑な気持ちになります。その人物についても、自分自身についても、じっくりと考えます。

それこそが作家の望む効果ではありませんか？

《感情を引き出す技巧　演習問題その3》

自己主張する語り

・自分の作品の中盤あたりから、主人公が視点人物として登場するシーンを選びます。

・そのシーンを、プロットではなく「わたし」に起こっていることを中心に書きなおします。主人公はその場所、シーンに関わる人々、そこで起こっていること、そして自分自身について何を感じていますか？

・これらのことに対する主人公の気持ちは、どんなふうに変化していきますか？　見落としていることは？　誤解していることや正しく見抜いていること、誤解している人物や正しく見抜いている人物は？

・そのシーンのアクションについて、主人公が発見した新しい感情とは？　また、自分自身についてはいかがですか？

・主人公の感情を使って、読者をミスリードしたり、反対に真実を伝えたりします。「わたしはこうだ」を使って不安を生み出し、「わたしはちがう」を使って疑念を持たせます。

・これらのことを踏まえて書きなおしたシーンを、どのくらい原稿に盛りこめますか？　ぜひ使ってみてください。

登場人物が何かを感情的に欲求しているときは、たいていの場合、わたしを感じます。それは目先のプロット上の問題を解決するために必要なものとは別です。その欲求を読者に感じとらせるのに成功したら、それを手玉にゲームを開始できます。読者をあちこち振りまわし、疑問を持たせ、感情のバランスを崩れさせ、つまり感情移入させることができます。シーンの結末をうたがわしくできるのと同様に、登場人物の感情のはけ口をサスペンスの出発点にすることもできます。

感情の尺度

これまでいちばん感情が動いた日はいつですか？　誕生、死、裏切り、結婚、離婚、流産、失敗、セカンドチャンス、復活、夢の実現、愛の告白、救いの手など、おそらく答えは、だれでも似たり寄ったりではないでしょうか。

しかし、これらは出来事です。

出来事が引き起こす感情について考えてみましょう。そうした感情は強烈であり、小説を読む人たちに感じてほしいものだからです。ここで言っているのは、恐怖、憤怒、熱情、歓喜、恍惚、希望、驚愕、悲嘆、謙虚、至福、愛などの、人間のベースにある大きな感情のことです。

おそらく、いま頭のなかには、無気力、退屈、思いやり、充実、疑惑、慈しみ、憂鬱、好感、円満などといった、中程度の感情は浮かんでいないでしょう。ほどほどの感情を引き起こすことが目的となることは、めったにありません。たいていの場合、めざすべきは、「体験」と評されるほど強烈で印象深い感情を引き起こすことです。

読者にそのような体験を提供するには、ベースとなる大きな感情だけに取り組めばいいと思うかもしれませんね。ところが、これには問題があります。大きな感情は、小説のなかでは平板になりがちで、見せ方によってはうまくいかないこともあります。暗い地下室へつづくきしむ階段をつま先立ちで降りていっても、かならずしも恐怖は感じません。バラの花束を贈ったからといって、愛は自動的に届きません。弾丸が飛び交っても、鼓動は速まりません。

ジャンル作家の話を聞くと、彼らのストーリーは、恐怖や脅威、歓喜や愛など、たったひとつの大きな感情を引き起こすために設計されているように思えます。読者がそう感じるだろうと期待するのは悪いことではないのですが、ほぼ期待どおりにはなりません。なぜでしょうか？　理由の一端は、そうした感情はありふれていて、その感情を引き起こすとされるシナリオが月並みなことが多いからです。たとえば、物語の世界がディストピアだったら、銃を調達して、食料を買いだめしたくなりますか？　一ページ目に死体が出てきたら、安心感が打ち砕かれますか？もちろん、そんなことないですよね。

物語がそんな感情を引き起こせるわけがない、ありえません。現実ではないのだから。それでもときには、物語を読んで強い感情に打たれることがあります。恐怖や脅威、歓喜や愛などの大きな感情を、読者のなかに呼び起こすことは可能です。でも、力づくではありません。策略をめぐらせることで抜群の効果を発揮できます。舞台上のマジシャンは、観客の注意を別の場所にそらして意表を突きます。感情の技巧も同じです。技巧を凝らした作品は、読者自身の感情を使って驚かすことができます。

したがって、強い感情を生み出すには、読者自身の体験を積みあげていくための土台が必要です。その土台とはなんでしょうか？　もっと正確に言うと、読者自身が体験した感情を掘り起こすきっかけとなるものはなんでしょうか？　ひとつの答えはこうです。ある状況を想起させる、感情に組みこまれている些細なディテール（リマインダー）です。

長たらしいので、ディテールとだけ覚えておけばいいでしょう。ディテールには、ほのめかすという力があります。ほのめかすことで、感情のハンマーで殴らなくても読者の内側から感情を引き出すことができます。

スティーヴン・キングの『ドクター・スリープ』（二〇一三）は『シャイニング』（一九七七）の続編です。オーバールック・ホテルの少年ダン・トランスは、父親の暴力的な憑依と崩壊を生き延び、四〇代の大人になったいま、飲んだくれの放浪者となり果てました。超常的な能力「かがやき」の苦しみから逃れたくて、つい酒に手が伸びてしまいます。ダンはニューハンプシャー州の小さな町にたどり着き、断酒会に入会し、ホスピスで働きはじめます。そのホスピスで、ダンの特殊能力が、死にゆく患者を慰め、あの世へ導くのに役立つことになります。ある晩、九一歳のチャーリー・ヘイズのベッドサイドに呼ばれたダンは、その能力を発揮します。

「すごく怖いんだよ」チャーリー・ヘイズはいった。その声はささやきよりもわずかに大きいだけだ。外から絶え間なく聞こえてくる風の低いうなりのほうが、まだしも大きく響いていた。「自分が怖がるなんて思ってもいなかったのに……怖くてたまらないんだ」。

「怖いことはなにひとつありませんよ」

ヘイズの脈をとる代わりに——いまさらそんなことをしても、なんにもならない——ダンはこの老人の手を自分の手で包んだ。ヘイズの双子の息子たちが、四歳のときにぶらんこで遊んでいる光景が見えた。寝室のカーテンを閉めているヘイズの妻も見えた——妻は結婚一周年のプレゼントにヘイズが与えたベルギー製のレースのスリップだけをまとった姿、ふりかえってヘイズのほうへ顔をむけたときにポニーテールの髪が揺れたところも、その顔が《イエス》と大きく語っている笑みに輝いたところも見えた。ストライプの傘が座席にさしかけてあるファーモール製のトラクターが見えた。ベーコンの香りが鼻をつき、散らばった作業台に工具が置いてあった。本体にひびのはいったモトローラ製のラジオから流れるフランク・シナトラの〈カム・フライ・ウィズ・ミー〉がきこえてきた。ハブキャップにいっぱいに溜まった雨水に赤い納屋が映りこんでいる光景が見えた。ブルーベリーを味わい、鹿を解体し、どこか遠くにある湖で釣りをしていた——絶え間なく降りつづく秋の雨が湖面にまだら模様をつくっていた。六十歳では在郷軍人会ホールで妻と踊っていた。三十歳では丸太を割っていた。五歳では半ズボンを穿いて赤いワゴンを引いていた。そしてすべての映像がぼやけ、達人の手がシャッフルするトランプのカードのようにひとつに溶けあっていき、風は山岳地帯から大雪を運んできて降らせつづけ、この部屋にはただ静寂とアジーの真剣に見つめる目があるばかり。こういったとき、ダンは自分がなんのためにいるのかがわかった。こういったとき、これまでに感じた苦しみや悲しみや怒りや恐怖をダンが悔やむことはいっさいなかった。なぜならそういった経験があってこそ、いま外で風がひゅうひゅうとうなっているこの部屋にこうしているのだから。チャーリー・ヘイズはすでに境界にたどりついていた。（白石朗訳、文藝春秋、二〇一八年、上巻一八二–一八三頁）

死の瞬間。なんと重々しいのでしょう。しかし、このキングの引用箇所で、それを鮮明にも耐えうるものにもしているのは、「ハブキャップにいっぱいに溜まった雨水に赤い納屋が映りこんでいる光景が見えた」などといった、よい人生のなかの些細なディテールです。キングは視覚的、感覚的なイメージを、死を描写するためではなく、人生のなかのひとコマをつぎつぎと描くために使用し、それによって差し迫った死──「チャーリー・ヘイズはすでに境界にたどりついていた」──を、暗くて未知のものではなく、美しくて輝いていた生を祝福する感動的な瞬間に仕立てました。

ちなみに、引用箇所で出てきた「アジー」というのは、ホスピスで飼っている猫です。キングは、ロードアイランド州プロヴィデンスにいるセラピーキャットのオスカーが、末期患者の死を予言できるというニュース記事から、『ドクター・スリープ』の着想の一端を得たと語っています。

《感情を引き出す技巧　演習問題その4》

些細なディテールは大きな感情に等しい

・原稿のなかから、ベースとなる大きな感情が優位を占めている場面を選びます。よくわからない場合は、主人公が最も恐怖を感じている場面を選びます。

・何かものすごいことが起こっているという事実を示す、ちょっとしたしるしはなんですか？　ディテール、ヒント、間接的な手がかり、明らかな効果など、どんなものを思いつきましたか？

・そのものすごいことが及ぼす影響で、読者がすぐに確認できるものは？

・主人公のなかに直接的ではない感情を見つけます。主人公はこれからどんなふうに変化し、別の道を進んでいくのでしょうか。また、人や物事に対する見方がどう一変するのでしょうか。
・主人公は、洞察力に富む、並はずれて思いやりがある、残酷なまでに切れ味のよい、先見の明があるなどと評されるようなことを、それとなく言ったり考えたりできますか？　どんなことを皮肉ったり指摘したりしますか？
・いま起こっているものすごいことを縮小して扱いやすい大きさにするには、どんな方法がありますか？　そのものすごいことは、どんな点で意外性に欠けますか？　どんなふうに真実を明らかにし、また、いかなる場合でも通用するものですか？　どんな点で独特ですか？
・主人公がいだいている基本の感情ではなく、そのときに体験していることを文章にします。ディテール、違和感、それとない観察、超然とした落ち着き、分別のある思いやりを使用します。

ではつぎに、感情の尺度の反対側、小さな感情に取り組んでみましょう。些細なディテールで大きな感情を引き起こすのとは反対に、日常の平凡な感情の流れを使うときは、小さな感情に大きなインパクトを持たせるという課題があります。

これを成しとげるには、どうすればいいでしょう。

人生において、一瞬一瞬に感じることは、自分には大きな意味があるものでも、他人には取るに足らないことです。それでも、自分にとっては、毎日がドラマティックで、山あり谷ありで、胃がひっくり返るような激動の日々です。そんな日々のなかでは、他人が自分の感情をわがことのように受け止めるとは期待していません。ですが、小説ではまさにそれを、つまり、登場人物のわずかな気分の揺れに心を奪われ、魅了されるように、読者に求めるわけです。

これは、登場人物の日常にある小さな感情を、読者の時間を割くに値するものにするという意味です。アクションとリアクションの単調なパターンではうまくいかないでしょう。わたしはこれを、読者がすでに感じたことの再利用、すなわち「感情の再循環」と呼んでいます。これでは簡単に読み飛ばされてしまいます。感情の小さな動きで読者を引きつけるには、やはり読者の意表を突くことです。

登場人物が自分の感情に苦しんでいるとき、読者は審判をくださなければなりません。その人物の心の葛藤を解決しようと、あれこれ考えて判断します。登場人物が思いがけない感情に襲われたときにも同じことが言えます。ほとんど意識していませんが、読者は瞬時に心のなかで議論を闘わせて評価します。読者から、「わたしもそんなふうに思うだろうか?」と評価されることをめざしましょう。

ケイト・ノーブルの心あたたまる遊び心満載の歴史ロマンスは、上流社会の背伸びしたロマンスに、ミステリーとスパイ要素を混ぜ合わせた作風で、メアリ・バログ、エロイザ・ジェームズ、ジュリア・クイン、ロレッタ・チェイス、ジョアンナ・ボーンなど、名だたる歴史ロマンス作家の作品と比べても引けをとりません。ブルー・レイヴン・シリーズの第三弾『あなたがいた夏』

（二〇一〇／未訳）は、同シリーズの第二弾に登場したレディ・ジェーン・カミングスが主人公のストーリーです。

レディ・ジェーンは、ロンドンの社交シーズンをこよなく愛す、活発でパーティ好きの若い貴族の娘ですが、公爵である父親は認知症で健康を損なっています。現代ならアルツハイマー病の深化と診断されることでしょう。公爵の健康には田舎暮らしがよいということになり、レディ・ジェーンは父に付き添って、楽しい幼少期を過ごしたメリーメア湖畔にある一族の避暑地へ赴くことになります。父の新しい看護師と、偏屈で大酒飲みで、勉学を盾にしていっこうに落ち着かない兄のジェイソンも同行します。ジェイソンはロンドンを離れることがジェーン以上に不満なのですが、それでも父親の健康を気づかっています。

一行が馬車で北をめざす途中、ジェーンは幼少期にメリーメア湖を訪れたときのことを思い返します。

少なくとも、ジェーンは不機嫌でいるつもりだった。いまが人気絶頂というときに、社交界の頂点から引きずり降ろされ、もの忘れの激しい老人とぼんくら頭の若者の面倒を見ないといけないという理不尽さに抗議するために。でも、かよいなれた道をゆっくりと数日かけて、ふたりのいびきの合唱を聞きながら進んでいくうちに、なんだかおかしなことが起こった。

はじまりは、スタッフォードの郊外、ノース・ロードを数マイル走ったところにある、あの節くれ立ったオークの木だ。かいじゅう、ジェーンは子供のころ、その木をそう呼んでいた。地中から噴き出てきたみたいにそびえ立ち、黒い表皮は色あせた緑の苔に覆われて、地面の草と一体になっていた。房状に垂れさがる葉は、てっぺんが禿げた頭から抜け落ちる髪のように落下した。かいじゅうは上背があって、胴まわりもとても太かったので、ジェーンがまだ幼く、死への恐怖で胸がいっぱいだったころ、この木が通行人をひとのみにして、ごつごつした内側に無理やり住ませるのだと信じていた。だが、ジェーンの母親が、木のそばを通るたびにちぢこまっている娘に気づき、馬車でそこを通るときに、娘の耳元でこんなふうに言い聞かせてくれた。この木は人を取って食べたりしませんよ。実はね、この節くれだらけの古木は妖精の王さまの館なの――だから、前を通るときは息を止める代わりに手を振りなさい。妖精たちが木の枝を持ちあげて振り返してくれますよ。

（中略）

妖精の王を信じる年齢をとっくに過ぎても、ジェーンは毎年、かいじゅうに手を振り、そのしわしわの古木が、風の吹く加減によって振り返してくれたり振り返してくれなかったりするのを、子供みたいに楽しんでいた。

（中略）

レイン公爵の馬車はブリッジダウン・フェルを通過した。このあたりで背を伸ばすと、別荘が建つメリーメア湖の青い水面がはじめて見えるのだ。ジェーンはまっすぐ背を伸ばしたために、馬車の屋根に頭をぶつけた。

「湖を見てるのか？」ジェイソンが御者台であくびをした。「レストンへもどるのは気乗りしていないと思ってた」

「ええ、乗り気じゃないわ」ジェーンは言った。「でも、気晴らしが必要なの。おふたりさんのいびきがうるさくて、とてもじゃないけど眠れないから」

ジェイソンはわざとらしく咳払いしたが、妹の目をごまかすことはできなかった。兄もまた、やけに背筋を伸ばしていた。

ロンドンから湖水地方へ向かう道のりは、下手な作家にかかれば平凡で退屈なものになりかねません。しかし作者のノーブルは、この旅の道中の風景をくわしく描写し、ふだんは喧嘩ばかりしている兄と妹がともに喜んでいるようすを控えめに書くことで、感情あふれる一節に仕立てました。作者は、思いがけないところから感情を見つけ出し、些細な瞬間に大きな感情を呼び起こしています。

《感情を引き出す技巧　演習問題その5》

小さな感情は大きな体験に等しい

・あなたが書いているストーリーのなかで、些細なことだけど意味のある瞬間を選びます。その場面はだれの視点から書いていますか？　これから起こることについて、その人はどんな気持ちですか？

・それは捨ててしまいましょう。代わりに、視点人物は対照的な感情も持っているので、それを書き出します。その対比を鋭く、皮肉をこめたり、力強くしたり、正論を混ぜたり、情熱的にしたりして、読者自身の感情に挑戦します。

・その些細な瞬間のことを考えます。これから起こることを暗示するものはなんですか？ 視点人物は、これから何を変えなければいけませんか？ また、困難だったり、常識に反することだったり、その人物がやりたがらないことはなんですか？

・この人物が、自分自身をうたがいたくなる場面を考えます。ただの自信喪失にならないようにしましょう。そして自分に判断をくだします。どのように正しいのか、あるいはまちがっているのでしょうか？

・その場面は、最高にいい気分になれるのか、それとも最低な気分になるのでしょうか。その理由は？ 何がすばらしく、何に耐えられませんか？ その場面とそれが持つ意味に、視点人物が着地点を見つけ出す方法を考えます。何に憤りますか？ 新たに知ったことはなんですか？

・些細な瞬間が持つ大きな意味について、この人物が読み解く一節を書きます。その人ならではの方法で、読者自身の感情に――もしかしたら作者のあなたの感情にも――反するものにします。

つまり、飲みこみやすいだけでなく、味わい深い感動を読者に与えることが肝心です。そうすれば、小さな感情でも大きな効果をもたらすことができます。

高潔な感情をかき立てる

あなたにとってのヒーローはだれですか？　ひらめきを与えてくれる歴史上の人物はいますか？　自分が生み出した登場人物に対して、読者にそんなふうに感じてもらいたいですよね。楽観、構想力、献身、大きな功績、統率力は、ありふれた資質ではありません。同情、共感、理解は――敵に対してならなおのこと――まれです。ガンジー、マーティン・ルーサー・キング牧師、マザー・テレサのような人は、どこにでもいるわけではありません。とはいえ、いま考えているのは現実世界ではなく小説についてです。高潔な感情をかき立てる登場人物を創造してみてはどうでしょう。

残念なことに、わたしが原稿のなかで出会う登場人物の多くは、ふつうの性質の人々です。そんな人たちは一級の古典作品には出てこないし、あなたがいま執筆中の小説にも必要ありません。登場人物が何者で、どう行動し、何を信じ、どう考え、何をするか、どんなふうに感じるかは、作者がコントロールできることです。肩をすくめるだけの登場人物を生み出す必要がどこにありますか？

一七七一年、のちの第三代アメリカ合衆国大統領のトマス・ジェファーソンは友人のトマス・スキップウィズに手紙を書き、小説も自宅の本棚に置くように薦めました。ジェファーソンはその理由をこんなふうに述べています。「わたしたちの心に徳の原理と実践を植えつける一因となるものはすべて有益だ。たとえば、慈愛や感謝などの行為を、現実でも創作のなかでも目の当たりにすれば、その美しさに深く感銘し、みずからもそうありたいと強く思うようになる」と。つまり、それが架空の人物によるものであっても、わたしたちに徳の高い行為をうながすことになりうるわけです。

最近では、米国の社会心理学者ジョナサン・ハイト博士らによって、フィクションには「モラルの向上」という効果があることが科学的に証明されています。これは、善良な人たちの物語を読むと、自分もよりよい人間になるという考えです。登場人物に影響され、よりよい選択ができるようになります。さらに、人間は悪い行為よりもよい行為のほうをよく記憶するものです。裏切りや残酷な行為は、瞬間的に衝撃を与えますが、やがては頭から消えていきます。犠牲、英雄的行為、無私の精神、そしてやさしさは、いつまでも心のなかに留まり、めざすべき対象となります。わたしたちは記憶し、模倣します。

登場人物のアクションに心を動かされて影響を受けるとき、わたしたちが感じるのは「高潔な感情」です。それは、すべての宗教で提唱され、あらゆる偉大な思想家が推奨する、時代を超えた美徳です。高潔な感情は、わたしたちを熟考させます。わたしたちを変化させ、よりよい人間にします。そして、高潔な感情をかき立てる小説を読者は高く評価するようになります。それも悪いことではありません。

衝動に理性が勝ったとき、嫌悪が洞察に変わったとき、身に余る寛大さを示されたとき、拒絶が当然のところに愛が与えられたとき、だれかが別のだれかの肩を持つとき、予期せず援助の手が差し伸べられたとき、謙虚な謝罪に、思いがけない許しを受けとったとき、歓迎され、ドアが開かれたとき、真実が語られて葛藤の原因が明るみに出たとき、こうした行為は読者の感情をかき立て、胸を高鳴らせ、心を開放します。

正しいことのために立ちあがる行為は、利用できる感情ツールのなかでもまちがいなく最大級のものです。R・J・エローリーの世界的ベストセラーで、数々の賞にノミネートされた『静かなる天使の叫び』（二〇〇七）は、一九三九年のジョージア州の小さな町オーガスタフォールズを舞台にはじまります。主人公は一二歳のジョゼフ・ヴォーンで、この町で少女が何人も殺されたことから、女の子たちを見守ろうと、ガーディアンズというグループを結成します。とはいえ、ジョゼフはまだ子供で、彼を取り巻く恐怖と偏見の力は強大です。

疑惑の目は、地元で農業を営むガンサー・クルーガーへ向けられます。第二次世界大戦がはじまり、ドイツ系アメリカ人に対する疑惑が高まっていました。クルーガーはヘイトクライムの標的となります。そして、ある誕生日パーティで外国人嫌悪による憶測が飛び交うなか、町の保安官ヘインズ・ディアリングが、クルーガーの憲法上の権利を守るために立ちあがります。

ヘインズ・ディアリングが手をあげて制した。「もういい。わたしは何といっても警察の人間だし、それを強調しておきたい。いまは、クレメント・イェーツの誕生祝をしているのであって、ただそれだけのことだ。いま夜は、よけいなことで、かんからをガラガラ鳴らすような真似はしないことだ。ここには、レナード・ストーウェルもギャリック・マクレーもいる。子どもを亡くした二人がいるんだ」ディアリングは目を上げると、二人に順番にうなずきかけた。「いずれまた、新しい知らせがあるだろうから、いいな？」

「おれはただ、〝よけいなこと〟は何もしゃべらないっていうんで、ここにきたんじゃないんだ」マクレーがいった。「テーブルにパイがありゃ、一切れもらおうって気になるだろう（中略）おれはクレメントに賛成だ。誕生日だろうが、そうでなかろうが、ああ、あれはアメリカ人じゃない」

「最後の子はユダヤ人だった」フランク・タローがいった。

「何人《なにじん》の子だなんてことは重要じゃないよ」ローウェル・シェーナーがいった。「あの子もだれかの娘だったってことが問題なんだよ。おれはギャリックの娘さんが殺されたあとで、現場のほうに出てきたんだが（中略）そこで、娘さんと会ったこともない大人たちが集まってるのを見た。その連中が泣き崩れそうになってるのを見た。連中は手助けしたいから出てきてたんだよ（中略）いいかい、一つ正しいことをいおうか。いま、保安官――」

ディアリングが身を乗りだした。盛り上がった両肩の間に頭が座っているというその姿は、ある種の闘犬を思わせた。「わたしに何をいおうっていうんだ。ローウェル・シェーナー？」

シェーナーは一瞬、迷ってから、ギャリック・マクレーに目をやった。マクレーのこわばった顎の厳しい輪郭。無情とも思える目の冷ややかさを見てとった。さらには、必要なら決断するといっているような煮詰まった表情を。

「いや、もし、ことをてきぱき進めないと――」

「ということは、あんたら、酒浸しになったうえで、リンチの徒党でも組もうっていうんだな。トラックの荷台に鈴なりになって、セントジョージなりモニアックなりへ突っ走って、手向かいもしない黒んぼを吊るそうっていうんだな。わたしが間違ってるなら、そういってくれ。一人一ドルずつやるぞ」

一座に気まずい沈黙が訪れた。

「黒んぼだってアメリカ人だ」クレメント・イェーツが低い声でいった。

「よし、もういい」ディアリングが応じた。「すまなかったな。どうやら見当違いなことをいってしまったようだ。あんたらがいいたいのは、ホシは外国人だってことなんだな（中略）たとえば、アイルランド人とか、材木の伐採場へいく途中、ここを通るスウェーデン人とか（中略）でなけりゃ、ドイツ人じゃないか？　ここにはドイツ人が大勢いる。」

（中略）

「われわれはオーガスタフォールズで面倒を引き起こすつもりはない」ディアリングは静かにいった。もう一度、前に乗りだすと、てのひらを下にしてテーブルに両手をついた。「ここでは面倒を引き起こすつもりはない。わたしがそういった以上、そうはならんし、あんたらが筋の通った考えをする賢い住民である以上、そうはならんのだ。みんな、いろんな噂をつなげて、ちょっとした話に仕立てるくらいのことはするだろう。みんな、世間の事情に通じてもいるだろう。みんな、日照りと不作で多かれ少なかれ苦しんでいるだろう。おそらく……だが、頭に血が上るとか、魔女狩りとかいう病気で苦しんでいる者はいない。そういうことだろう？」

それぞれが、集団としてどう答えるかの手がかりを求めて顔を見合わせる間、しばらくの間があった。

「そういうことだろう?」ディアリングが重ねて問うた。
同意のつぶやきが、右から左へと一座をよぎっていった。(佐々田雅子訳、集英社、二〇〇九年、上巻一八七–一九〇頁)

正義と理性の力は、貧しい農民であれ、退屈している読者であれ、人々を奮い立たせずにはおかないものです。道徳的に腐敗した人物でさえも、ときには立ちあがって同様の効果を生むことがあります。

ヴァンパイア小説を刷新したヨン・アイヴィデ・リンドクヴィストの『MORSE—モールス』(二〇〇四)は、ストックホルム郊外で母親と暮らす、労働者階級の一二歳のいじめられっ子、オスカルの物語です。オスカルは隣に住む風変わりな少女エリに心を奪われます。エリは子供のヴァンパイアで、オスカルをいじめっ子から助けます。

エリの同居人である大人の人間、小児性愛者で幼児虐待者のホーカンは、エリのために血を手に入れます。リンドクヴィストの小説は、社会的孤立、小児性愛、自傷行為、殺人など、さまざまな問題を扱っていて、フィクションとしてはこのうえなく陰鬱な内容です。しかし、この小説には、自己犠牲という崇高な行為も書かれていて、そのなかでも最大のもの(そして大規模のもの)が、ホーカンがエリのためにおこなったある行為です。救いようのない人物がなぜそんなことをするのでしょうか。

リンドクヴィストは読者に心の準備をさせる必要があったので、のちのホーカンの自己犠牲を予感させるようなシーンを序盤に用意しました。そのシーンで、ホーカンは公衆トイレでポケットに一万クローネ分の札束を忍ばせ、子供を性行為に誘います（注意！　この引用部を読み通すには強い精神力が必要です。下劣な行為の描写に嫌悪感がある人や、道徳的反論がある人は読み飛ばしてください）。

廊下に面したトイレのドアが開き、ホーカンは息を止めた。頭のどこかでは、入ってきたのが警官であることを願っていた。大柄な男の警官がこの仕切りのドアを蹴破り、逮捕するまえに、自分を警棒でぶちのめしてくれることを。

低い声、静かな足音、仕切りのドアに軽いノック。

「ああ？」

（中略）

十一歳か十二歳ぐらいの少年が立っていた。ブロンドの髪、ハート型の顔。薄い唇に、無表情な青い大きな目。ふくらんだ赤いジャケットは、少年の身体には少し大きすぎる。彼のすぐ後ろでさきほどの革のコートを着た若者が指を五本立てた。

「五百だ」

（中略）

彼は若者が連れてきた少年を見た。この子はヤクをやっているのか？　たぶん。青い目はどこか遠くを見ているようにぼんやりしている。少年はドアに背中を押しつけ、五十センチほど離れて立っていた。その目をのぞきこむために、顔を上げる必要もないほど小さい。

「やあ」

少年は答えず、首を振って、ホーカンの股間を指さし、ひとさし指で〝ズボンのジッパーをおろして〟という仕草をした。ホーカンはしたがった。少年はため息をつき、べつの仕草をした。〝ペニスを取りだして〟

（中略）

彼は目を細め、少年の動きが恋人［エリ］の動きに似ていると想像しようとした。だが、あまりうまくいかなかった。彼の恋人は美しい。かがみ込んで彼の股間に頭を近づけていくこの少年は美しくない。

この子の口は。

少年の口はどこかおかしかった。ホーカンは少年が目標に達するまえに、その顔に手をあてた。

「きみの口は？」

少年が首を振り、仕事を続けられるようにホーカンの手を押しやった。だが、ホーカンにはもうできなかった。こういう話は聞いたことがある。

彼は親指をあて、少年の上唇をめくった。口のなかには歯が一本もなかった。この仕事に適するように、だれかがそれをへし折ったか引き抜いたのだ。

（中略）

こんなふうにはできない。絶対にいやだ。

何かが彼の視界に入ってきた。伸ばした手が、五本の指が。五百クローナだ。

彼はポケットから札束を取りだし、それを小さな手に置いた。少年は輪ゴムを取って細い指で十枚の千クローナ紙幣をめくり、束ねている輪ゴムを戻して紙幣を高く上げた。

「どうして？」

「きみの……その口。もしかしたらこれで……新しい歯を入れられるかもしれない」

少年はかすかにほほえんだ。にっこり笑ったわけではないが、口の端が持ち上がった。もしかするとホーカンの愚かさを笑っただけかもしれない。少年は少し考え、千クローナ札一枚を外側のポケットに入れ、残りを内ポケットに入れた。ホーカンはうなずいた。

少年は鍵を開け、ためらった。それからホーカンのところに戻り、彼の頬をなでた。

「ありがと」（富永和子訳、早川書房、二〇〇九年、上巻七六－七九頁）

わたしは忠告しましたよ。忌まわしい状況ですが、ホーカンのふるまいにはどこか美しいものがあります。ホーカンが下劣な男であることは、まぎれもない事実です。小説の序盤では、少年を豚のように逆さに吊るして血を抜きとります。そんな大それたことをしでかす一方で、自分の欲望を恥じています。ホーカンは犠牲を払うこともできます。一万クローネでは足りないかもしれませんが、人間の最悪の見本のような男でもまだ人を思いやることができるのだと、読者に示すにはじゅうぶんです。

おそらく、この精神が、『MORSE―モールス』を世界的なベストセラーに押しあげ、二本の映画化（スウェーデン語と英語）と、ロンドンのウエスト・エンドでの舞台化を実現させたのでしょう。

モラルをめぐる抵抗やあがきには感情の威力があり、そのような瞬間を生み出して威力を発揮できないストーリーはほぼないと言っていいくらいです。どんな登場人物でも、一瞬だけであれば、損得を考えず、優美に、洞察に満ち、寛大に、自己犠牲の精神を持つことができます。
人はだれでも輝くときがあるのですから、あなたが生み出した登場人物たちも輝かせてはいかがでしょう。

《感情を引き出す技巧　演習問題その6》

善行

・主人公について考えます。これだけはむずかしいと思う善行とはなんですか？

・その高潔な行為をさらに困難にするために、さかのぼって書いていきます。それから、たとえばカタルシスのあとに、主人公がその善行をついに成しとげる方法を考え出します。

・自己中心的で自己完結型の、自己を哀れみ、虐待され、傷つき、不当な扱いを受けている脇役を作ります。この人物がけっして期待されない、あるいは要求されない無私の行為とはなんですか？　それを実現させます。

・他人を見下している登場人物はいますか？　ストーリーの後半で逆転させて、その批判的な人物が思いやりと洞察力を隠し持っていたことを示します。

・正当な恨みを持っている人物はいますか？　恨む理由を組み立て、それから許す場面を書きます。

・けちな人物はだれですか？　祝いの場や式典の場面を選んで、その人に思いがけない贈りものをさせます。
・主人公は、どんな方法で大切にしているもの（または人）をあきらめて、自己犠牲を払うことができますか？

道徳意識

西洋文化は、ポストモダン〔各人がおのおのの趣味のなかで生き、みなが共通して持つ大きな価値観が消失してしまった現代的状況のこと〕の荒れ地――非道徳的で、物質主義で、自分を美化し、独断的――と思われがちです。しかし、実際にはだれもが、思いやり、尊敬、正義、機会、平等、自由のある、よりよい世界を切望しています。このことは政治にも表れています。保守派もリベラル派も、実現に向けて追求する道は異なるものの、よりよい世界を求めています。信念にも同じことが言えます。宗教の信奉者も合理的な科学者も、純粋さと真理を追究します。また、それは文化にも表れています。さまざまな生い立ちの人々が、家族、コミュニティ、習慣の共有を大切にしています。人間の本質は善良です。
高潔なもの、正しいものに対する万人に共通した希望があるのに、小説の登場人物の目がしばしば地面にだけ向けられていることが意外でなりません。現在のプロットを完結させることだけが大事かのように、目先のことばかりに集中しています。プロット上の問題に、個人的な意味を持たせてはいけないと言っているのではありません。実際、こうして、個人的な関心を高める方法を教えていますし。ただ、それと同じく重要なことに、ストーリーの道徳意識があります。

主人公が高潔な行動をとらないと、どうなると思いますか？　何が失われるのでしょう。残念ながら、読者の主人公に対する尊敬の念が失われます。読者は主人公が善人であるかどうかを大いに気にかけるので、これはとても重要なことです。読者がまず見つけ出そうとするものであり、感情移入するための必須条件でもあります。アンチヒーローやダークな主人公は例外のように思えますが、実はそうではありません。うまくいけば効果はてきめんです。わたしたちが気にかけるダークなキャラクターは、ひそかに何かを訴えています。どんなに悪そうに思えても、その奥底には善があります。

登場人物が善良だということを読者に知らせることは重要であり、それも早い段階でないといけません。わかりやすい方法としては、「SAVE THE CAT の法則」という脚本家のテクニックがあります。これは、危険な状態にある猫を間一髪のところで救うなど、有徳《うとく》の行為をほんの少し示す手法です。小説では、そのようなシグナルをさらに幅広く使用しており、その多くが自己認識にもとづいたものです。陰気な登場人物でも、辛辣なユーモア、鋭い目、力強い声を披露すれば、少なくともしばらくのあいだは、読者の心をつかむことができます。ある人物が、観察力にすぐれ、注意深く、自己認識力もあるのなら、善人になる可能性を秘めていると、わたしたちは信じるからです。

とはいえ、読者を確実に感情移入させたいなら、モラルをめぐり最後まであがきつづける登場人物に敵うものはありません。どうぞその人を明るいほうへ向かわせてくださいと、読者が願い、請い求め、頼みこむとき、読者は作者のねらいどおりに反応しているわけです。善良な登場人物も悪くはないですが、善良であってほしいと読者が願う登場人物のほうが、より大きな効果をもたらします。

ただし、影のある不幸な主人公というだけでは、そんな感情を引き起こせません。主人公が善良であってほしいと読者が思うためには、そう願いたくなる何かがあると、まず感じさせる必要があります。鍵となるのは奮闘です。善良になろうとする行為は少なくとも試すべきです。また、読者の代わりにほかの登場人物を立てて、ストーリーのなかのだれもが信用していない人物を、なぜか信頼しているようにするのもいい手です。

道徳意識が変化するアークは、変化そのものが訪れても完了しません。洞察が得られ、理解が深まり、内なる葛藤が終わり、内面の平和が訪れるのは結構なことですが、あともうひとつ、証明という段階が残っています。自己中心的な人が献身的になる。内向きの人が外向きになる。人が変化すれば、わたしたちは気づきます。作家にとって、これはある種の社会貢献です。内面の平和が訪れ、変化した登場人物が、こんどは世界に善を還元する番です。

文学的スリラーを手がけるクリス・ボジャリアンの作品は羨望に値します。ＦＢＩ、核兵器テロ、連続殺人犯など、おなじみの仕掛けに頼らずに、サスペンスに満ちたストーリーを作りあげるという、作家ならだれもが望むことをやりのけています。ふつうの人々についての物語なのに、スリリングでページをめくる手が止まりません。

ボジャリアンの『ダブルバインド』(二〇〇七/未訳)には文学上の奇想が用いられています。フィッツジェラルドの『グレート・ギャツビー』(一九二五)に登場する架空の街ウエスト・エッグが実在し、悲劇的な出来事が実際に起こったものとする、少しばかりずれた現実が舞台です。

現代、バーモント州のホームレス一時宿泊施設で働くソーシャルワーカー、ローレル・エスタブロックは、精神を病んで亡くなったかつての住人、ボビー・クロッカーが残したひと箱の芸術的な写真コレクションを整理しています。五〇年代の有名人、ジャズの演奏家、全盛期のグリニッジビレッジの写真のなかに、ローレルが見知った場所、ウエスト・エッグ(ローレルが育った場所)とギャツビー邸の写真も含まれています。ギャツビーにまつわる醜悪な情事の結末が、いまもウエスト・エッグに影を落としています。

しかし、ボビー・クロッカーのコレクションには、さらに気がかりな写真があります。バーモント州のある町近くの田舎道で撮られた最近の写真で、遠方に自転車に乗った女性が写っています。ローレルは、それが自分であり、その道が、不意に襲われ、危うくレイプされかけ、誘拐されそうになった日に自転車で通った道だということに気づきます。その写真は襲われる直前に撮られたものでした。

この発見で取り乱したローレルは、ボビー・クロッカーと彼が撮った写真が、自分が襲われた理由の鍵を握っていて、ウエスト・エッグとブキャナン家〔『グレート・ギャツビー』に登場する主人公ギャツビーの元恋人デイジーが嫁いだ家〕につながりがあると確信するようになります。実際につながりはあるのですが、クロッカー家の秘密は、すでに傷ついていたローレルに、新たに鮮烈な危機をもたらします。

ローレルは、年上のボーイフレンド（新聞編集者のデヴィッド・フラー）、自堕落な生活を送る神学生のルームメイト（タリア）、善意と好意にあふれた下宿の隣人（ホイット）に囲まれて暮らしています。ホイットはローレルをサイクリングデートに誘おうとしますが、滑稽なほど愚かな行為です。このホイットが、道徳的な変化を教えてくれる存在です。ある夏の夜、ホイット、ローレル、タリア、そして大学の友人たちはダンスに出かけます。その帰り道で、悪臭を放つホームレスの浮浪者に出くわします。外見にかまわず、体を洗わず、顔はただれ、独り言をつぶやいています。一行はその場を通り過ぎようとしますが……

ローレルは男のすぐそばへ行った。男の前にしゃがみこんで注意を引いた。名前を尋ね、自分の名前を告げた。男の意識は、あっち側の世界からこっち側へまだもどりきっていないようだが、ホイットとエヴァが恐怖で動けず無言で立ちつくしているあいだ、ローレルは男の手をとり――汚れた手をにぎることは慈悲と勇気のある行為だと、ホイットは悟った――立ちあがるようにうながした。ローレルはホイットとエヴァに先に帰るように言ったが、どちらも動かなかった。一時宿泊施設まで男を案内するローレルにふたりとも付き合った。ベッドは空いていた。夏だからホームレスは屋外でも過ごせる。夜間管理者の助けを借りて、ローレルは男にシャワーを浴びさせ、食事をさせ、その夜は施設で眠るように説得した。一時間ほどで、男を落ち着かせることができた。その男は、ローレル以外とは会話を交わさなかった。ローレルにも多くを語らなかった。だが、ぶつぶつとつぶやくのをやめ、もうピンボールマシンの球のように目玉を動かすこともなかった。その目はローレルの瞳に固定され、彼女のそばですっかり安心しているのが見てとれた。どんな事情があったにせよ、どんな妄想がこの男を路上へ導いたにせよ、それはつかの間ながらも阻まれた。

ローレルはエヴァとホイットと合流し、睡眠時間を一時間削ってしまったことを詫び、三人でふたたび丘をのぼりはじめた。ホイットは、ローレルが路上から連れてきた男の発する悪臭と圧倒的な絶望に動揺し、はじめて見る一時宿泊施設の内部にも驚いていた。四年間そこにいて、しかもボランティアをしていたローレルは、そんなことを意にも介していないことがわかった。

ホイットはローレルにただ恋しただけではなかった。畏敬の念に打たれた。

深い感銘を受けたのはホイットだけではありません。勇気と寛容の行為は、それが物語のなかのことでも、わたしたちを変える力があります。作者のボジャリアンがこのシーンを入れた目的は、ホイットがローレルに惹かれた理由を説明するためか、傷ついたローレルが同じく傷ついたホームレスに同情していることを示すためか、ローレルがボビー・クロッカーの写真に悩んでいても、正気を保ち、自分の仕事を着実にこなしていると読者を安心させるためか、いずれかでしょう。

そのどれもが、小説にこのシーンを入れる理由として納得できます。しかし、善意と配慮を示すことで、このシーンは、読者の心をもう少しだけ開く目的にも使用されています。ローレルの寛大さは、特に彼女自身がそこで生き抜いてきたことを考えると感動的です。そのうえ、ナイーブなホイットがローレルの勇気ある行動によって変化し、ローレルをより深く愛するようになります。わたしたちもそんなふうに変われるはずです。

（ちなみに、『ダブルバインド』を読むなら、近年の小説で屈指の驚くべきエンディングが待ち受けているので覚悟してください。ものすごい小説です）

モラルをめぐる奮闘や選択には、高揚感を与える効果もあります。『さあ、見張りを立てよ』（二〇一五）は、ハーパー・リーの晩年に原稿が発見された作品で、著者の精神的な健康状態や、発見から出版に至る経緯についてなど、数々の論争を巻き起こしました。しかし、そのほとんどは、リーのデビュー作であり、過去に唯一発表した作品でもある、南部の人種差別を描写した貴重な青春小説『アラバマ物語』（一九六〇）に対する、世間の神聖化された崇敬が引き起こす不安でした。

書評が出はじめると、論争はますます激しくなりました。『さあ、見張りを立てよ』では、成長したスカウトが、住んでいたニューヨークから故郷のメイコムへもどり、弁護士である父親の若い仕事上のパートナー、ヘンリー（ハンク）・クリントンを心から愛せるかどうか、決断を迫られます。前作『アラバマ物語』では、スカウトの父アティカス・フィンチは、高潔で、正義感があり、人種的偏見のない立派な人物の象徴です。『さあ、見張りを立てよ』では、年老いたアティカスは人種差別的な意見を容認します。

沸き起こる論争や不安の渦中で見過ごされていたのは、『さあ、見張りを立てよ』は、『アラバマ物語』と同様のテーマで書かれた、極上の――より落ち着きのある――作品だということです。この小説では、成長したスカウトは本名のジーン・ルイーズという名前で呼ばれるようになり、叔母のアレクサンドラから、アティカスがメイコム郡白人市民会議に出席することを知らされ、そこで危機に直面します。その種の組織は、差別の隠れみのとしてよく知られています。ジーン・ルイーズは、会員の話を聞くために会場へ向かいます。

（前略）ジーン・ルイーズはミスター・オハンロンという人を見たこともなければ聞いたこともなかった。しかし、彼が出だしで言ったことから判断すると、ミスター・オハンロンは神を恐れるごく普通の人であるらしい。どこにでもいるような人なのだが、仕事を辞め、時間のすべてを人種隔離政策の維持に注ぎこむことになったのである。まあ、おかしなことを考える人もいるもんだ、と彼女は思った。

ミスター・オハンロンの髪は薄茶色で、目は青かった。ラバのような顔をし、ひどく派手なネクタイを締め、上着は着ていなかった。襟のボタンは外し、ネクタイは緩めている。さかんに目をしばたたかせ、髪を手で梳きながら、本題に入っていった。

ミスター・オハンロンは南部で生まれ育ち、南部で学校に行った。南部の女性と結婚し、南部でずっと暮らしてきた。いま彼が最も気にかけているのは、南部の生活様式を守ることだ。ニガーたちも最高裁も自分に対して、そして南部のだれに対しても、あれこれ指図はできない……あのように頭の鈍い人種に……本質的に劣っている……縮れたもじゃもじゃ頭……まだ森のなかで暮らしているようなもの……脂ぎっていて匂いが強い……あなた方の娘が結婚してしまったら……人種の血が汚される……血が汚される……汚される……南部を救え……暗黒の月曜日……ゴキブリ以下……神は人種を作られた……どうしてかはわからないが神はそれぞれの人種が交わらないように意図された……そうでなかったら、神は我々を一つの肌の色で作ったであろう……アフリカに帰れ……。

（中略）［ジーン・ルイーズはこのとき、父親がレイプで不当に訴えられた黒人、トム・ロビンソンの弁護人を務めたことを思い出します。それなのに父親はいまこの場にいるのです］

ジーン・ルイーズの手すりを握っていた手が滑った。手すりから手を放して見ると、汗がしたたるくらいに濡れている。手すりの濡れている部分が上部の窓から入ってくる弱い光を反射している。彼女はミスター・オハンロンの右に座っている父を見つめた。そして、自分の見ているものが信じられなかった。ミスター・オハンロンの左に座っているヘンリー［ハンク］を見つめたが、やはり自分の見ているものが信じられなかった……。

……しかし、彼らは法廷のそこらじゅうに座ってる。財産があり、一廉《ひとかど》の人物と見なされ、責任感のある善良な人々、さまざまな種類の、さまざまな評判を持つ人々が……郡の男性でここに来ていないのはジャック叔父さんだけのように思える。ジャック叔父さん――自分は彼に会いに行くことになっているのだ。いつ？

ジーン・ルイーズは男たちの付き合いについては何も知らなかった。しかし、口から不潔な言葉を吐いている男の隣に自分の父親がいることはわかる――これで言葉は不潔でなくなるだろうか？　いや、そんなことはない。もっとひどいことになる。

彼女は気持ちが悪くなった。腹がギューッと縮こまり、震え出した。ハンク。（上岡伸雄訳、早川書房、二〇一六年、一三八－一四二頁）

ジーン・ルイーズの嫌悪感はこの作品の道徳心であり、有名なデビュー作と同様に、世に出すつもりがなかったこの小説でも、ハーパー・リーが人種差別を支持していないことを示すものです。ジーン・ルイーズはこの発見のあと、自身が愛する男たちと和解するか拒絶するか決断することになります。道徳面から考えれば、ジーン・ルイーズにメイコムとそこに住む男たちから手を引いてほしいと思うでしょうが、人生はそんなに単純ではありません。

『さあ、見張りを立てよ』は、公民権運動が起こる直前の南部について、機微に富み、現実に即した見方を提供します。ですから、『アラバマ物語』のアティカス・フィンチを敬愛する気持ちがかき乱されたとしても、ハーパー・リーの名声を損なうものではありません。同意するかどうかは別として、この小説についても、そのテーマについても中立でいることは不可能です。ハーパー・リーの文章は、何があっても読者の感情をかき立て、読者はそれを望んでいるのです。

《感情を引き出す技巧　演習問題その7》

道徳意識

・自制心、勇気、忍耐、誠実、公正、尊敬、寛容、許し、奉仕、犠牲、見識、高潔、謙遜、覚悟、知恵など、読者に感じてほしい高潔な感情や概念を特定します。

・その性質と反対の性質を具えている人物、または具えることができる人物を選びます。教訓を学び、真実を認め、美徳を身につけ、変化することが最も必要なのはだれですか？

- 変化するための土台を準備します。もっともな理由をつけて、変化の方向とは反対へ走らせます。反対へ進むほうがうまくいき、正しいことだと強調します。ストーリーの書き出しでそのことを示しましょう。
- 変化する必要性と、変化を阻止するもっともな理由、このふたつを使って三つの出来事を考え出します。その三つの出来事が、読者の期待を高めるものになります。
- 最後に、その人が根は善人であることを、読者にはっきりと認識させる出来事を用意します。それをどうやって読者に示しますか？　そのときが、読者の高潔な感情を揺さぶる瞬間です。

ストーリーの感情世界は謎めいていますが、作者にとってはそうではありません。作者にとっては、それ自体がプロットであり、解決を求めるパズルであり、出かけるべき旅であり、ストーリーの目的を支える風景です。登場人物の感情世界に焦点をあてれば、よりよい物語を生み出せるだけでなく、だれにとってもよりよい世界を築くことになります。

第 4 章

感情、意味、キャラクターアーク

EMOTIONS, MEANING, and ARC

あなたと知り合いになりたい、あなたのことを深く知りたいと思っています。そこでお願いです。つぎのアンケートに答えてもらえますか？

・生年月日
・出身地
・出身中学校
・出身高校
・出身大学／専攻
・職業
・結婚記念日
・結婚歴
・現住所
・信仰する宗教（あれば）
・受賞歴
・趣味／特技

ありがとうございました！　これで、わたしたちは古くからの友人のようなものですね。ちがいますか？　何か抜けていますか？　なるほど、肝心なことがすべて抜けていますね。どんな出来事がいまのあなたを形作ってきたのかを聞いていませんでした。履歴書には書かれない、人生における重要な出来事を何も知りません。あなたのことを深く知るためには、つぎのような質問をするべきですね。

・あなたがはじめて心から幸せだと感じた出来事はなんですか？
・人生は不公平だということを、いつ、どのように知りましたか？
・はじめて失恋した相手はだれですか？
・自分にはなんでもできると思えるきっかけとなったのは、どんなことでしたか？
・もっと大人にならなければいけないと決心したのはいつですか？
・二〇代で自分自身について学んだことはなんですか？
・三〇代でそれはどう変わりましたか？
・あなたが最も我慢していることはなんですか？
・人生で最もロマンチックな夜はいつでしたか？
・理性を失うほどの恋をしたことはありますか？
・あなたが嫌悪感をいだくものはなんですか？
・どんな食べ物に目がないですか？
・もし世界を支配できるなら、最初に何を変えますか？
・死ぬまでにやりたいことのなかでいちばんむずかしいものはなんですか？
・あなたはいかにして神の存在を信じる（あるいは否定する）ようになりましたか？

わたしたちを形作り、人生に深みを持たせるのは、出来事そのものではなく、その出来事がわたしたちにとって持つ意味です。自分自身について考えるとき、わたしたちは人生で得られた教訓や啓示、変化、信念などを思い浮かべます。

わたしたちは、日々さまざまな出来事を経験しながら、それに対処し、自分の一部としていきます。自分の人生を視覚的なイメージだけでなく、そのイメージの意味を説明する物語として記録します。履歴書に書いたことがすべてではありません。業績や記念日をまとめただけの無味乾燥な存在ではありません。わたしたちひとりひとりにはストーリーがあるのです。

プロットの水面下で、ストーリーは動きます。些細な出来事に隠された大きな意味や、プロットの大きな転換点にある見過ごされがちな暗示をページに書き記さなければ、真のストーリーが読者に理解されることはありません。

なぜそれを書くのか、その意味さえはっきりさせれば、どんなことでも書くことができます。無味乾燥と思える事実を、読むべき大切な情報として伝えることができます。数十年、あるいは一生涯にわたる長い物語をしっかりとまとめあげることもできます。日々の雑事から詩を生み出すこともできます。あなたが書くことすべてに、感情を揺さぶる力がみなぎっていきます。プロットからはわからないストーリーが語られるからです。そこで語られるのは、人間の成長と変化という普遍的なストーリーです。

「意味」と言うとき、わたしたちの頭にあるものはなんでしょうか。わたしたちの目的において、それはただひとつの完璧な英知を指すわけではありません。それは、人間が個人的な経験から絶え間なく得ている知見や、理解、自覚、承認であり、それが積み重なって「わたし」という主観的な現実になっていくのです。「意味《ミーニング》」において「わたし《ミー》」とは、自分の経験したことの意味を、他者のためではなく、主として自分のために見ることを目的としています。人間は、「わたし」についての理論家なのです。

　無機質な情報というものについて考えてみましょう。ほとんどのストーリーは、読者になんらかの説明をすることが求められます。ストーリーを筋が通ったものにするために、科学や歴史、職業、あるいは特定の場所についての知識が必要になるからです。こうした情報を長々とひとまとめに羅列することは「インフォダンプ〔大量の情報を一度に提示すること〕」と呼ばれ、避けるべきやり方です。その一方で、こうした情報が、説得力があり、興味を引く重要なものだと感じられることもあります。その情報が視点人物にとって意味のあるものであり、作者がそれを書き記している場合です。

　ゾンビが横行する世界を描いたM・R・ケアリーのSF小説『パンドラの少女』（二〇一四）の主人公メラニーは、地下の独房に幽閉された一〇歳の少女です。月曜から金曜までは、車椅子にしばりつけられ、同じように車椅子に拘束された子供たちとともに教室へ運ばれて教育を受けます。週末には化学薬品のシャワーを浴びせられ、生きた地虫《じむし》が食事として与えられます。子供たちに同情を示し、人間として接してくれるのは、ヘレン・ジャスティノーという教師ただひとりです。子供たちは、警備隊長のエディ・パークス軍曹からは危険きわまりない動物のように扱われ、研究プロジェクトの責任者であるキャロライン・コールドウェルからは実験体として扱われます。子供たちは実際に実験体であり、コールドウェル博士はときおりひとりを選んで殺害し、解剖をおこないます。

メラニーが解剖されることになった日、実験をおこなっている軍事基地「ホテル・エコー」は、「餓えた奴ら《ハングリーズ》」と呼ばれる、人肉を好む凶暴な集団の襲撃を受けます。メラニーはジャスティノー、コールドウェル、パークスとともに脱出します。

荒れ果てたイギリスで逃避行をつづけた一行は、やがて廃墟と化した移動研究室を見つけます。感情の中間点（第5章でくわしく説明します）で、メラニーは自分が「餓えた奴ら」であること、それにもかかわらず理性的な思考能力と学習能力を持ち、人肉への欲求をある程度は抑えられるということを知ります。けれども、メラニーにはまだわからないことがあります。自由を得た彼女は、コールドウェルを移動研究室に閉じこめ、答えを求めます。

コールドウェルはメラニーに執着があります。メラニーは高度な知性を持つ「餓えた奴ら」であり、その生態はイギリスを荒廃させた「オフィオコルディセプス」という病原体が引き起こす病気の治療への鍵を握っている可能性があるのです。病原体に取りつかれた「餓えた奴ら」はやがて変質し、樹木に似た生命体となります。けれども、コールドウェル自身、けがから敗血症を発症しており、死期が迫っています。余命いくばくもない彼女は、研究してきたことをメラニーに説明します。科学と感傷が入り混じったこの場面を読んでみましょう。

「あなたはわたしに、いったいなにをやらせたいの？」［コールドウェルは］メラニーに訊く。この子供がここまで攻撃的な態度をとるのは、なにか要求があるからだろうと思ったからだ。

「本当のことを教えてもらいたい」少女は即答する。

「本当のことって、たとえば?」

「すべてを知りたいの。わたしや、わたしみたいな子供について。なぜわたしたちは違っているのか、その理由について」

(中略)［コールドウェルは、「環境刺激」が胞子嚢《ほうしのう》に及ぼす影響と脳の構造について科学的に説明していく］

コールドウェルのなかで、ふたつの気持ちが激しく葛藤しはじめる。彼女の心の一部は、秘密を明かしてはいけないと訴えている。訊かれたことだけに答え、それ以上の詳しい情報は与えるな。ところが別の一部は、発見した内容をだれかに教えたくてしかたない。彼女が望んでいるのは、物故者を含むすべての高名な学者を一堂に集め、研究発表を行なうことだ。なのに今、目の前にいるのは子供の姿をした動く屍《しかばね》が一匹だけ。とはいえ、この滅びゆく世界では、聴衆がひとりいるだけでも感謝すべきなのだろう。

「あなたを含むすべての〈餓えた奴ら〉は」コールドウェルは語りはじめる。「〈オフィオコルディセプス〉と呼ばれる病原体に感染している」彼女の説明は、相手に予備知識がまったくないことを前提としている。あのノートを読むだけでメラニーがどこまで理解したか、確かめようがないからだ。そこで彼女は、寄生体と呼ばれる生き物のなかには、擬製した神経伝達物質を使って宿主《しゅくしゅ》の神経システムを欺《あざむ》き、脳を完全に支配したあと、思うがままに宿主をあやつるものが存在している事実から説き起こしてゆく。

メラニーはたまにしか質問を発しないが、どれも的を射たものばかりだ。この子供の知能は、やはり並大抵ではない。

（中略）［コールドウェルは、メラニーがなぜ違っているのかを説明していく。メラニーは感染したのではなく、感染した状態で生まれてきた。そして、メラニーのような第二世代の「餓えた奴ら」の脳は、菌と共生関係にある。コールドウェルはメラニーに自分の研究ノートを渡し、どこへ届ければいいかを教える］

やがてコールドウェルの声は、聞き取れないほど小さくなってゆき、メラニーは椅子から立って彼女の足元にしゃがむ。片手にはまだメスが握られているけれど、脅したり傷つけたりするつもりはまったくない。メラニーは、黙ってコールドウェルの話に耳を傾けてやる。そしてコールドウェルは、この少女に心から感謝する。自分を襲いはじめた激しい睡魔がなにを意味するか、よくわかっているからだ。

彼女の敗血症は、最後の段階に入っている。これまでの研究成果を論文にまとめ、滅びゆく人間社会に残ったわずかな数の科学者たちを驚倒させることは、もはやできそうにない。たぶんかれらは、彼女の明敏さと自分たちの愚かさを思い知り、腰を抜かしたであろう。しかし、彼女にはメラニーがいる。メラニーこそは、キャロライン・コールドウェルが勝ち獲ったトロフィーを故郷へ持ち帰るため、最期の瞬間に天が遣わしてくれた使者なのだ。

（茂木健訳、東京創元社、二〇一六年、三六二−三六八頁）

オフィオコルディィセプスという病原体の生態、その発生と進化についてのコールドウェルの説明は、かなり退屈な内容かもしれませんが、作者ケアリーはここでこの情報の持つ意味が、プロットを進めるよりも重要であることをわかっています。この情報が最も大きな意味を持つのは、コールドウェル自身にとってです。死期が迫るなか、自分の発見を伝えられるのは、実験のために殺すつもりだったメラニーだけなのですから、その意味することは悲痛です。

情報がなんのおもしろみもなく感じられるのは、だれにとっても意味のないものだからです。その情報が伝える事実ではなく、それを理解する者にとって個人的な意味が感じられるとき、情報は感動的な効果を持ちます。

長い歳月にわたる小説は、まとめるのがむずかしいものです。作者にとっては人生のすべてが魅力的であったとしても、読者にとってはただ長いだけのものになりがちです。何十年ものあいだに起きた出来事を、ひとつのストーリーに結びつけられるものとはなんでしょうか。何もかもが変わらずにはいられないという事実。それ以外にはありません。

人生のすべての局面を同じように興味深いと感じる読者はいません。出来事を並べただけでは、読者の関心を引くのは不可能です。けれども、そこにあくなき探求心があれば可能になります。人生がただの繰り返しとなり、日々がドラマを失ったとしても、重要な問いは消えることがありません——自分は何を求めているのか？　それはまだ見つかっていないのか？　いまの自分にとって物事はどう変わって見えるのか？

ニューヨーク・タイムズ紙が「大衆向けのフェミニズム文学」と評した、イタリアの覆面作家エレナ・フェッランテの代表作『ナポリの物語』は、ナポリで生まれ育ったふたりの聡明な少女が、成長するにつれてまったくちがう人生を歩みながらも友人でありつづける姿を描く小説四部作です。

ひと組の友情の物語としては、四冊というのはかなりの長編といえます。けれども、この作品は壮大でありながらも親しみが感じられるものです。フェッランテはどのようにしてこの難題を克服したのでしょうか。これほどまでのページ数、人生のステージ、長い期間をどのようにしてひとつのストーリーにまとめあげたのでしょうか。

シリーズ三作目となる『逃れる者と留まる者』(二〇一三)は、青年期を過ぎようとしているふたりを描いています。ナポリを離れたエレナは、小説家としての地位を確立しました。友人のリラは故郷に留まり、裕福な夫と離婚して工場で働いています。冒頭部分は、後年ナポリにもどったエレナがリラと会って散歩をしている場面です。

ふたりは、教会の脇の花壇で幼なじみの死体に出くわします。この不吉な出来事のあと、この町の変わった部分、変わっていない部分についてエレナが思いをめぐらせる一節を読んでみましょう。

快晴の冬の日差しは、辺りの何もかもを穏やかに見せていた。旧地区の様子はわたしたちとは異なり、昔とまるで変わらなかった。背の低い灰色の団地もそのままなら、ふたりでよく遊んだ中庭も、大通り《ストラドーネ》も、トンネルの三つの暗い口も、暴力もそのままだった。一方、地区を取り囲む風景は変わった。沼地一体の緑の広がりはすでになく、缶詰工場の廃屋も跡形もなかった。同じ場所に今は、ガラス張りの高層ビルが建ち並び、陽光にきらめいていた。かつては輝かしい未来のシンボルとされていた新建築だが、そんな未来を信じた者はひとりとしていなかった。こうした変化をわたしは長年、ひとつ残らず心に刻んできた。本当に興味を持って記憶したものもあったが、たいていはただなんとなくのことだった。少女のころのわたしは、地区を出れば、ナポリの町は素敵なものでいっぱいなのだろうと想像していた。たとえば、ナポリ中央駅前のビルがそうだ。大胆なデザインの駅舎の傍らでビルの骨組みが一階また一階と高くなっていく様子は印象的だった。当時のわたしたちには凄く高い建物に見えたものだ。駅前のガリバルディ広場を通るたびにわたしは感心して、凄いね、高いね、と、リラにカルメン、パスクアーレにアーダ、アントニオらに言った。あのころはよく彼らと一緒に海に行ったり、お金持ちの地区の周りまで出かけたりした。あのビルの上には天使たちが住んでいて、町の眺望を楽しんでいるに違いない。てっぺんまで登れたらどんなに素敵だろう。そう思った。あれは〝わたしたちの〟高層ビルだった。場所こそ地区の外だったが、日ごとに高くなっていくその姿をみんなで見守っていたからだ。しかし、やがて工事は止まってしまった。大学時代にピサから帰ってくるたび、わたしには駅の高層ビルが、生まれ変わりつつある町のシンボルというよりは、効率の悪さの新たな温床に思えてならなかった。（飯田亮介訳、早川書房、二〇一九年、一七 - 一八頁）

すぐれた小説家であるフェッランテは、登場人物の内面をあからさまに書くことはありません。

その代わりに、類推を使って周囲を描き、暗示によって読者を明確な核心へといやおうなく導いていきます。

ナポリについてエレナが語るこの一節で、読者にほんとうに伝えようとしていることはなんでしょう。ナポリという町そのものについてでしょうか。もちろんちがいます。エレナが語っているのは、自分自身のこと、リラとの友情、過ぎ去っていく時間、そして、変わってしまったものと、ずっと変わらないものについてです。さらにエレナは、かつては新しく刺激的だったものも輝きを失い、腐敗していくと語っています。かつては誇りであった友情を、もはや認識できず、必要のない場所にたとえているのです。それは、とげとげしいものになってしまったふたりの女性の関係に対して読者が持つ感傷です。

けれども、さらに深いところでは、フェッランテはこの一節で、全四巻を通じてたびたび繰り返してきた問いかけをおこない、長い物語を統一していることがわかります。「わたしはいま、何者なのだろう？　わたしはいったいどうなったのだろう？　どうやってここにたどり着いたのだろう？　物事の見方はどう変わったのだろう？　何を求めていたのか、そしてそれはもう見つかったのだろうか」と。

フェッランテのこの四部作でエレナが一貫して求めているのは、人生の荒波のなかで自分をつなぎ留め、生涯を通じて信頼できる、岩のように変わらない友人です。けれども、状況は変わり、人は変わり、人間関係も変わっていきます。ほろ苦い教訓ですが、友情というたったひとつのものを追い求めること、そして、わたしたち自身が人生において繰り返す問いかけが全編を貫くことにより、この作品は珠玉のストーリーとなっているのです。

フィクションを書くうえで最大の難関は、ありふれた日常を、読むに値するものにすることかもしれません。ある登場人物の一日を追って、「ほんとうにこれをすべて見る必要があるのだろうか」と思ったことはありませんか。作者や編集者が削除しておいてくれたらいいのにと思いながら、流し読みすることはないでしょうか。

けれども、なかには這うように一日を過ごしながら、すべての瞬間を意味のあるものにできる作家もいます。こうした作家が書く登場人物は、まるで人生のあらゆる瞬間がダイヤモンドのようにきらめき、見聞きしたことにはすべてじっくりと考察すべき重要な側面があるかのように、自分に起こるすべてのことに考えをめぐらせ、意見を述べ、疑問を投げかけます。

わたし個人としては、昨今の極端に詳細な描写には退屈させられることもありますが、販売部数を見ると、読者はこうした綿密さを評価していることがわかります。行き過ぎとも思える綿密さが読者の心をつかむのは、作者が日常的な出来事に語るべきものを見出したからです。斬新なたとえを用いた、核心をつくもの、あるいは、思いがけない発見があったり、転機になったりするものであれば、日々の雑事からも詩が生まれるのです。

さて、毎日の暮らしのなかで、トイレットペーパーを使うこと以上にあたりまえの行為があるでしょうか。ヴィエト・タン・ウェンのピュリッツァー賞受賞作『シンパサイザー』（二〇一五）の名前のない主人公は、一九七五年のサイゴン陥落後に南ベトナムからの移民としてアメリカに渡ります。実は北ベトナムのスパイである彼が、共産主義の同調者《シンパサイザー》としての経験を独房からの告白という形でつづります。

このような人間は世界をどう見ているのでしょうか。小説の中盤で、主人公はベトナム戦争についての映画のコンサルタントになり、フィリピンでのロケに赴きます。そこでは美術監督のハリーによって、ベトナムの村が忠実に再現されていました。

（前略）ハリーは次の日の朝に中心的なセットを見せてくれました。中央山岳地帯の村《ハムレット》を完璧に再現したもので、魚が棲む池の上に台をしつらえ、屋外便所としているところまで忠実です。バナナの葉と古い新聞紙が積んであり、それがトイレットペーパー代わりでした。トイレの床に開けてある丸い穴を覗き込むと、一見穏やかそうな池の水面が見えますが、ハリーが得意げに説明するところによれば、さまざまな種類のナマズが放たれており、それはメコンデルタのナマズとかなり近いものだそうです。よくできてるよな、とハリーは言いました。彼は困難を前にして創意を凝らすことにミネソタ人特有の思いを抱いているのです。冬が本当に厳しいと飢えや人肉食に陥りかねないミネソタで、何世代も暮らしてきた人々が培《つちか》ってきた賞賛の念でした。聞いたんだけどさ、ここで用を足すと、ものすごい餌の奪い合いが起こるんだってね。

私は子供の頃ずっと、まさにこうしたザラザラする便器に座って用を足していました。ですから、座ったときに何が起きるかもよく覚えています。ナマズたちが食卓の最高の場所に陣取ろうと、激しく争うのです。しかし、このような本物そっくりの屋外便所を見ても、私のセンチメンタルな感情は揺さぶられませんでしたし、ヴェトナム人の環境への配慮に感心することもありませんでした。私としては、滑らかな陶製の便座を持つ水洗トイレのほうがいいのです。新聞紙だって、股のあいだで使うのではなく、膝の上に置いて読み物にしたほうがいい。西洋人が尻を拭くのに使う紙は、それ以外の世界が鼻をかむのに使う紙よりも柔らかいのですが、これは比喩的な比較にすぎません。それ以外の世界は、鼻をかむのに紙を使うという贅沢な考え自体に驚いたでしょう。紙はこの告白のようなものを書くために使うのであり、排泄物を拭くためのものではありません。（上岡伸雄訳、早川書房、二〇一七年、一九五－一九六頁）

わたし自身はトイレットペーパーの意味について考えたことがありませんでしたが、あらゆる紙が贅沢品である人々にとっては、まったくの別問題です。「紙は、この告白のようなものを書くために使う」この一節で、作者のウェンは複雑な隠喩を使っていますが、その意味は胸を打つものです。紙は貴重なものです。トイレットペーパーは、多くの人にとって想像もできないほどの贅沢品です。告白することも贅沢なのでしょうか。あるいは、彼の告白はトイレットペーパーほどの価値もないのでしょうか。この語り手はスパイであり、裏切り者です。狡猾で、つかみどころがなく、信頼できない人物でありながら、自分について語り、自分が経験したどんな些細な出来事にも読者の理解を得ることを熱望しています。

物事に意味を見出すことは日常を新たな次元へと引きあげ、それとともにわたしたちの感情も高めてくれます。ある人物がありふれた物事の意味に心を揺さぶられるとき、わたしたちはその人物に心を揺さぶられずにはいられません。

《感情を引き出す技巧　演習問題その8》

あらゆることの意味をはっきりさせる

・原稿の中間点のどこかで起こる、何かささやかなことを選びます。それに対して、つぎの質問に対する答えを書き出してください。この小さな出来事は象徴的なものですが、何を象徴していますか？　その出来事は視点人物にとって個人的にどのような意味がありますか？　ほかの人物がそばにいたとしたら、どのような意味を見出すでしょうか？　この瞬間、視点人物の自分自身に対する理解にわずかでも変化があるとしたら、どのようなものでしょうか？

・ストーリーを筋が通ったものにするために伝える必要のある、無機質な情報を選んでください。それについて知っているのはだれですか？　その人物のこうした情報に対する見方は、ほかの人間の見方とはどのようにちがいますか？　どのような基準で判断しているのでしょうか？　こうした情報の、よいところ、悪いところ、懸念すべきところ、元気づけられるところ、そのほか明らかになることはなんですか？　あなたのキャラクターは、こうした情報が示すことのどこが好きで、どこがきらいですか？　できればその事実のどこを変えたいと思っていますか？　自分自身については何を変えたいと思っていますか？

・もし、あなたのストーリーが長期間にわたってひとりの人物の経験を描くものであるなら、全体から四つの時点を選び、それぞれの時点でつぎのことを確認しましょう。その時点で主人公が自分自身に求めているものはなんでしょうか？　主人公は何を見つける必要があるのでしょうか？　なぜそれがこの時点で新たに重要なのでしょうか？　主人公は、自分が必要としているものに近づいていますか、それとも遠ざかっていますか？　進歩の尺度はなんですか？　励みになるもの、あるいは、心をくじくものはなんですか？　主人公は自分がなるべき人間にまだなれていないのですか？　それは問題ですか、それともその時点ではそれでよいのでしょうか？

・こうして書いたメモを文章や段落にして、それぞれの時点に書き加えましょう。ペースが遅くなってもかまいません。あらゆることに深い意味が加わるのであれば、不満に思う読者はいません。

わたしたちは人間として、自分を知ること、完全であること、幸福、そして愛を求めています。わたしたちの願いは、不可解なことを解明し、自分の存在を正当化し、自分が何者で、なぜここにいて、何をすべきなのかを理解することです。

その探求心はけっして尽きることがありません。いまは満ち足りた生活を送っているとしても、自分の人生のストーリーを語るときは、起こった出来事の意味を説明し、自分がどのように成長したかを表現しようと努めます。わたしたちのストーリーは、ひとつとして同じものがありません。作家がプロットのテンプレートと呼ぶような予測可能なパターンで起こるのではありません。絶えず、思いもよらない瞬間に、そして自分だけが見ることのできる方法で起こるのです。あなたのキャラクターも同じです。ストーリーは絶えず起きていて、どのように起きるかを明らかにできるのはあなたしかいません。

あなたが語っているのは登場人物のストーリーだと思うかもしれませんが、読者は自分のこととして読みます。登場人物のあらゆる瞬間の意味をはっきりさせれば、その普遍的な価値を明らかにすることができるのです。

内なる旅と表向きの旅をつなぐ

わたしは空港で過ごすのが好きです。長い時間を過ごすほど、空港の設計には感心させられます。ジョン・F・ケネディ空港のTWAフライトセンターや、サンノゼ空港のターミナルB、サンフランシスコ空港の国際線ターミナル、ポートランド空港のガラス張りの屋根、デンバー空港のロッキー山脈を模した屋根――ほんとうにすばらしいものです。高くそびえる姿は美しく、広々として開放感が感じられます。かなたの空を仰ぎ見れば、もう旅ははじまっています。

けれども、近くでよく見ると、こわさを感じるかもしれません。こうした個性的な設計の建造物を支えている構造部材は信頼していいのでしょうか。巨大な建造物をいったいどうやって支えているのでしょう。

わたしにはよくわかりません。

工場溶接や現地接続によるせん断接合ならわたしにも理解できます。鉄製の柱や梁をつなぐ、むかしながらの頼りになるプレートやフランジです。荷重を伝え、回転や曲げモーメントに耐えることができます。堅牢で強度があります。エンパイア・ステート・ビルを想像すれば、わかるはずです。

けれども、現代の設計は、目に見える構造部材を尊重します。建築家は、空港の骨組を軽量に見せたいと考えています。また、組み立ての容易さや、部材の長さが多少変わっても対応できることが求められています。率直に言って、古くさくて不格好なせん断はクールではないのです。空港建築は、作業着姿で弁当箱をさげた肉体労働者の時代を感じさせるものではなく、近代的でなくてはいけないのです。

そこで登場したのが、ピン接合です。ピン接合は、ふたつの鋼鉄製の構造部材をつなぐ留め具です。空港では多くの場合、チューブとチューブをつなぎます。肘の関節を思い浮かべてください。建築用語では、U字型のクレビスに「ピン」（ボルト）を通した重ね継ぎを指します。小さなピンが、ふたつの構造部材をつなぎ合わせているのです。

ピンでほんとうにだいじょうぶなのでしょうか。基礎構造のように建物の荷重全体を支えるものについては、特に心配になります。わたしといっしょに考えてください。空港の全重量を支えているのが、どこの家にもあるようなボルトとナットなのです。屋根の全重量が、小さなボルトにかかっているとは驚くばかりですね。

強力なボルトにちがいありません。もちろん、そうでないはずがありません。何も心配する必要はないんです。ピン接合は、鋼鉄製の構造部材をつなぐ方法として、かつてのフランジと同様に、あるいはそれ以上に信頼できるものです。空港の屋根に不安な要素などありません。おかげでわたしもカフェラテを飲みながらゆったりとした気持ちでパソコンを見ていられます。空港の建物はしっかりと接合されているのです。

　さて、これを小説を書くことにあてはめてみましょう。小説において柱と梁は、主人公の表向きの旅と内面の旅です。表向きの要素であるプロットは、高層ビルを柱が支えるように、小説の構造を支えています。一方、小説に深みや奥行き、動きを与える横方向の梁は、主人公の内面の旅です。軽量で強度がある柱と梁のように、小説では、このふたつの要素がしっかりとかみあっている必要があります。

　このふたつの要素を結びつけるものはなんでしょうか。内面の旅と表向きの旅は、どのようにつながって、すばらしい構造となるのでしょうか。プロットの出来事は外から見て起きていることです。その出来事に意味を与えるのが、心の動きです。こうして内面の旅と表向きの旅が結びつくことで、読者を新しい場所へと導き、虜にするのです。その新しい場所は、かなたの空にあるのです。

「キャラクターアーク」は、創作術においてよく知られたことばです。すべての小説家が自分はその意味を理解していると考え、ほとんどの小説家が自分はその使い方をマスターしていると感じています。成長、内なる旅、変化の軌跡といったことばを使う人もいますが、意味するところは同じです。小説のはじまりから終わりまでのあいだにキャラクターが経験する内面的変化のことです。登場人物は、はじまったときとはちがう種類の人間になります。
内なる旅が短かったり、単純すぎたり、そもそも描かれていないと感じる原稿が多いのはなぜでしょうか。よく見られるのは、アークが旅というより、ジャンプになっているものです。このような原稿では、最後に起こる出来事によって、ただひとつの変化や救済、理解が成り立っています。これでは、尽きることのない探求心や終わりのない闘いというよりも、付け足しのように感じられてしまいます。

多くの原稿でキャラクターアークは描き足りていない状態です。内なる闘いを書くことは簡単ではありません。内面における葛藤を、退屈になることなく文章で表現するには、スキルと勇気が必要です。人間の最悪の部分で繰り返される退屈なあがきを読みたいと思う読者がいるでしょうか？　作家が避けるのも無理はありません。けれども、小説を作りあげているものはプロットだけではありません。プロットは物語を進行させることはできますが、感情面で動かすことはできません。

ストーリーが動く感覚は、内側から感じられるものです。引き潮のように、感情が引き出されるのです。物事だけでなく、人々も変わっていきます。変化はつねに起きています。人生において、変化は一年ごとに起こるのではありません。日々起こります。わたしたちはつねに、あるいは一時間ごとに変化しているかもしれません。自分自身、他人、世界に対する理解は永遠に変化していきます。わたしたちは目をあけ、目を見張り、日々生きています。わたしたちは思い悩み、学びます。人生は、ただ生きていくこと以上に、そこから何を得るかが重要なのです。

その一方で、小説のなかで数々のドラマチックな出来事を経験しながら、あまり変化していいないように見える主人公が多いのは不思議なことです。目の前の出来事について何を考えているのか、どんな気持ちでいるのか、自分自身についてどう感じているのか。それは読者にまかせたほうがいいと思うかもしれませんが、読者がすることは創造ではなく、反応です。読者は自分を登場人物と比較するものですが、対象がなければ比較はできません。

ほとんどの作家は、主人公に変化が必要であることをわかっています。登場人物の苦悩を説明することもできます。むずかしいのは、こうしたことをストーリーそのものとはいかないまでも、その不可欠な部分とすることです。多くの作品が、プロットの構造を重視しすぎています。設定やテーマ、声にもかなりの力が注がれています。こうしたことは、登場人物の混沌とした内面に比べれば、簡単に突き止めることができるからです。けれども、小説のほかの要素と同様に、内面の混乱もストーリーのなかへまとめあげる必要があります。形のないものを形にしていく方法が必要なのです。

それほどむずかしいことではないはずです。現実の人生と同じように、内なる旅の題材はつねに存在しています。あなたはそれを感じ取り、大切なこととしてページに書き記すだけでよいのです。

内なる旅と表向きの旅をつなぐには、プロットでの出来事から内なる旅を考えるか、内なる旅からプロットを固めていくか、どちらかを選びましょう。前者の場合、主人公の心のなかにはいりこみ、外面的な出来事が主人公にとって何を意味するかを突き止めます。後者の場合は、その時点において心のなかで起きていることを象徴するような、外面的な出来事を起こします。表に見える出来事が心の動きとつながり、心の動きが表面に表れます。

頭をかかえてしまいましたか？　それでは、こんなふうに考えてみましょう。あなたの主人公には超能力があります。それは、自分の内なる状態を世界に投影する力です。心で感じたことが、物事を引き起こすのです。

L・A・メイヤーのヤングアダルト向け冒険小説『ブラッディ・ジャック』（二〇〇二／未訳）は、少女が男装して船に乗りこむという一九世紀の民謡から着想を得ています。民謡は、少女が好きな少年について行くという内容でしたが、メイヤーは、少女が三度の食事にありつくためにイギリス海軍の軍艦に乗りこんだらどうなるだろうかと考えました。そこで彼は、一七〇〇年代後半のロンドンのスラム街に舞台を設定し、メアリーという孤児を主人公にしました。中流階級の家庭に生まれたメアリーは、家族がみな病死し、路頭に迷います。メアリーは、チャーリーという賢く明るい少年が率いる、橋の下で暮らす浮浪児たちの一団に加わりました。けれども、チャーリーが殺され、メアリーはこんな生き方はつづけられないと悟ります。

メアリーは字が読めるので、イギリス海軍の艦船ドルフィン号で教師の補佐として働くことになります。小説の冒頭で作者は、これが当時の少女の行動だということを巧みに描写します。チャーリーの服を身につけ、髪を短く刈りこんで自分の身を守るために男装したメアリーは、すぐにひとりの紳士に呼び止められて、酒場で食事をしているあいだ、馬の番をすることになりました。メアリーは駄賃として紳士から一ペニーをもらいます。

その人が馬に乗って行ってしまうと、あたしもその酒場にはいって、もらったお金でシチュー一杯とパンを少し買った。おいしかった。あたしは皿をきれいになめて、パンはあとで食べるためにベストにしまうと、袖で口をぬぐって外に出た。

男でいるほうが楽だ、とあたしは思う。

男でいるほうが楽だ。だれからもちょっかいを出されないから。昨日、女の子のかっこうであの酒場に入ったら、「ここから出て行け、きたない娘」とどなられただろうけど、きたない男の子のかっこうで入っても何も言われなかった。きたない小銭だってほかの人のと同じお金だ。

男でいるほうが楽だ。ひとりでいたって何も言われないから。ひとりでいる男の子はいっぱいいるけれど、女の子にはできない。女の子はさらわれて物乞いや泥棒をさせられたり、救貧院に入れられたり、もっとひどい目にあう。ここまでくる途中だって、何人かの男に目をつけられた。あたしのベストをねらってたみたいだけど、ナイフをちらつかせて追い払ってやった。

男でいるほうが楽だ。だれかが馬の番が必要になったりするとき、選ばれるのはいつも男の子だ。うすのろの男の子のほうがりこうな女の子よりましだと思われてる。ばかみたいだけど、ほんとうだ。

男でいるほうが楽だ。自分のことだけ考えてればいいんだから。重荷から解放されたみたいな自由な気分で、わき目もふらずに波止場まできた。チャーリーが死んで、ほかの子たちを置いてきたっていうのに、晴れ晴れとした気持ちでいるのは少し気が引けるけれど、しかたがない。

ゆるんだ板のあいだをすり抜けて、夜は閉めてある馬小屋にはいると、あたたかくていいにおいがする干し草のなかにもぐりこむ。

自分の名前はジャックに決めた。

メアリー／ジャックの内なる旅は、彼女を少女から少年へ、そしてふたたび少女へと変えていきます。そうすることがプロットの上で必要だったのでしょうか。あるいは、男として生きると決めたことが、海へ出るのにつながったのでしょうか。いずれにしても、ふたつの不可欠なこと――生き抜くことと内なる要求――がこの瞬間ひとつになったことはまちがいありません。単純明快で波乱万丈な子供向けの冒険小説でも、内なる旅と表向きの旅が結びつくのです。その結果、読者は、メアリーが性別を変えて生きること、そして彼女が乗り出す胸躍る洋上の冒険の世界へと、またたく間に引きこまれていきます。

《感情を引き出す技巧　演習問題その９》

内なる旅と表向きの旅をつなぐ

・プロット上の出来事をひとつ選びます。大きなものでも小さなものでもかまいません。主人公にとって、それはどのような意味を持っていますか？　どのように内面を揺さぶるものですか？　どんな不安、希望、疑問、謎がありますか？　そのような感情を感じるのはどんな気持ちでしょうか？　それについての暗喩を作りましょう。メモを取って段落にまとめます。

あるいは――

・ストーリーのなかで、感情面で重要な瞬間を選びます。主人公が自分自身の変化を感じる瞬間です。独白はやめてください。あなたの主人公が、読者がわかるように、自分の内面で展開する変化を見せる、あるいは話す方法を見つけましょう。あなたの主人公がやらざるをえないことを明らかにし、それを実行します。

緊張とエネルギー

ここで考えていることは、簡単に言うと、思考と感情を留め具として使うことです。出来事は何かを意味し、意味が現れると、何かが起こります。小さな軽いピンが鋼鉄製の構造部材をつなぎ合わせるのと同じです。内側と外側でじゅうぶんな数の部品をつなぎ合わせれば、建物ができあがります。それは、かなたの空へ向かって両手をさしのべるような、人間の生き方をめぐるストーリーです。

感情と行動ではどちらが書きやすいですか。大切な質問です。この答えによって、あなたの小説に主に書かれていること、書かれていないことを予測できます。自分に合っていて書きやすいことでページを埋めるのも結構ですが、自分には合わない、書きにくいことも書けるようでなければ困ります。

人間を精神面で分類すると大きくふたつに分けられます。緊張をためる人間と、エネルギーをためる人間です。このふたつは同じように聞こえるかもしれませんが、そうではありません。緊張をためる人間は内を向いています。エネルギーをためる人間は、外に向かいます。前者はじっくり考え、内省し、思いをめぐらせます。感情を重視するタイプです。紅茶を飲みながら、会話を交わし、人生と向き合うことを好みます。後者はランニングをしたり、ボールを打ったりすることを好みます。行動を重視するタイプです。

男女間のちがいのように聞こえるとしても、まちがいではないかもしれません。心理学者のポール・ローゼンフェルスは、人間が生まれ持った二極性の研究において、これに同意しています。むしろ、ローゼンフェルスの主張は、どちらかがもう一方よりすぐれているというのではありません。むしろ、感情を重視する人間と行動を重視する人間にはそれぞれ長所と短所があると主張しています。それぞれに、最高の姿と最悪の姿があるのです。

人間は性格的にこのふたつのタイプに分けられます。これは、小説家にとっても重要です。登場人物の変化の旅を構築し、その人物のプロットにおいての旅と結びつけるにあたって、特に重要になります。

登場人物が内面の変化にしたがって行動するとき、その行動は本物だと感じられます。その逆もしかりです。内なる緊張の高まりは、解放されることを求めて、圧力弁から蒸気が放出されるように表へ噴き出します。このことが重要なのは、わたしが見る多くの原稿で、登場人物の行動が、プロットの流れで必要という理由のみによって書かれているからです。もちろん、プロットを重視してもかまわないのですが、それではその行動が本物だとは感じられず、感情面での効果も少ないのです。

一方で、内面の変化は、行動の内なるきっかけを生み出します。表向きは論理的な理由がなくても、登場人物が行動に移ったり、行動からはずれたりすることができるようになります。内面の変化は、プロットがないときにプロットを発展させます。ストーリーの状況が変わっていなくても、物事が前進しているように感じられます。ちがう種類のペース、つまり感情のペースを作り出すのです。

わかりやすく言えば、内面の変化を描くことによって、登場人物とそのストーリーがあたかも現実のもののように読者の心をつかむのです。

登場人物は、存在がはっきりしています。ストーリーのどの時点でも、その存在を明らかにすることができます。けれども、存在というのは、それ自体では動きがないものであり、状態が変化することで動きが生まれます。変化がなければストーリーは成立しません。

では、ここで考えている「内面の変化」とは、どのようなものでしょうか。それは、自己認識から自信へ、善良さが発展して正義へ、安心感から解放感へ、世界を観察することがそれに対する責任へ変わる、といったことです。内面の変化を作るということは、登場人物の行動を高速ギアに入れるという意味でもあります。あたりまえのようですが、ワークショップで作家が前に進めなくなっているのを見るときは、たいてい、登場人物が危険な賭けに出ようという場面です。言い訳できない行動に出るとき、取り返しがつかない発言をするとき、収拾のつかない事態を巻き起こそうとしているときです。

登場人物は、迷惑と思える行動をとるときがいちばんおもしろいのです。もちろん、そういう行動をさせるのが不愉快なときもあります。感情を動かすような小説を書くには、ときとして不愉快なことへの抵抗を抑えることが求められます。

また、これとは逆に、行動から内省へと移行して、表向きの葛藤から一歩引いて、内なる混乱を掘りさげるということもあります。これも同じようにむずかしいことだと考える作家もいます。それでも、小説を書くときにはプロットのペースだけでなく、感情面でのペースを考えることも必要です。感情面のテンポやトーンにも変化を持たせるようにしましょう。

このふたつの変化について実際の作品を見ていきましょう。はじめに緊張からエネルギーへ、つぎにエネルギーから緊張への変化の例をあげます。表向きの行動と内面が、互いに作用し合っていることに注目してください。このふたつが敵対するものではないことがわかるはずです。

アレックス・ゴードンのデビュー作『ギデオン』（二〇一五／未訳）の主人公ローレン・リアドンは、父の遺品の整理中に驚くべき事実を知ります。父はマシュー・マリンという別の人物であり、イリノイ州ギデオンというはじめて聞く町の出身だったのです。遺品のなかには、一八七一年の「大火の年」に印刷されたという「エンドアの書」という古びた本がありました。ローレンは父とギデオンについての真実を調べる決心をします。

読者に明かされるバックストーリーによると、ギデオンは魔法使いの住む町でした。一八三六年、町の長老たちが、ニコラス（ニック）・ブレインという凶悪な魔法使いを火あぶりの刑にすると決めたときが、悲劇のはじまりでした。判断には誤りがあったのですが、警告は無視され、ニコラス・ブレインは火あぶりの刑に処されます。けれども、彼は死にませんでした。悪魔の息子と言われたブレインは、ギデオンを滅ぼすため、一八七一年に復活します。彼はまず女領主のイライザ・マリンを誘い出します。その場面を目撃したのは、ブレインが火あぶりにされた当時は子供だった南北戦争の帰還兵ジョセフ（ジョー）・ペトリでした。

ギデオンの町に火がまわるなか、ジョセフ・ペトリはニコラス・ブレインに拳銃を突きつけます。ブレインを殺すべきだとはわかっています。けれども、すでに死んでいる人間を殺すことなどできるのでしょうか？


イライザ・マリンは足を止めてペトリを見た。「出て行って、ジョー」

イライザは空中で印を結んだ。

「逃げて。いますぐ」

「あなたを置いては行けません」ペトリはふたたびコルトをブレインに向けようとしたが、手が小刻みに震え、引き金を引く力はない。「逃げるなんてできない」

「結局は逃げるんだろうよ」ブレインが振り返った。魔法使いのマントのようにコートがはためく。「煙のにおいがするし、上の階で炎が燃え盛っているのが聞こえるからな。天井も、屋根も焼け落ちるぞ」ブレインはペトリに向かって一歩、そしてまた一歩踏み出した。「その女を置いていけ、ジョセフ。戦場で多くの仲間を置き去りにしたようにな。臆病者の生きる道ってわけだ。友と呼んでいたはずの仲間も、死体になれば自分の盾にできる」

「そんな話は聞かなくていいのよ」頭上の音が高まり、イライザ・マリンは声を張りあげた。

「あなたを混乱させて、恐怖に飲みこませるつもりよ」その声は子供をなだめすかす母親のようにやさしかった。

「怖くてもいいのよ、ジョー」

ペトリは食ってかかった。「あなたは怖くないんですか」

「何がわかるの」

（中略）［火の勢いが強まる］

ペトリの喉の奥から嗚咽がこみあげた。イライザ・マリンに目をやると、悲しみに沈む天使のように両手の指を組み、じっと立っていた。

「逃げなさい、ジョー」もはや依頼ではない。命令だ。

「そうだ、逃げろ、ジョー！」ブレインは手袋をした手をたたいてくぐもった音をたてた。

「走れ、走れ、走れ——」

ふたたび爆音がとどろいた。その音はペトリを鞭のように打った——はじかれたように狭い廊下に飛び出したとき、天井から火の粉が降り注ぎ、ニック・ブレインの高笑いが耳のなかで響いた。裏口のドアにたどり着いたジョーが振り返ると、居間から龍が吐く息のように炎が吹き出すのが見えた。廊下は一瞬にして猛火に包まれた。

ペトリは夜の町へと飛び出し、燃え盛る家々や、炎に包まれたギデオンの中央広場を抜けて走った。老人や女たち、幼子を追い越し、叫び声や助けを求める声、見失った家族を呼ぶ声にも耳を貸さずにただ走った。

逃げろ、ジョセフ・ペトリ。逃げるのはお手のものだろう。

恐怖に足がすくんだ状態から、敗北を認めて逃げること、そして臆病者であることの自覚。ジョー・ペトリの内なる緊張はエネルギーに変わりますが、それには感情的な代償がともないます。この燃えるようなシーンには多くのアクションがありますが、それ以上に恐ろしいほど燃えているのはジョーの内面です。緊張からエネルギーへ、そしてまた緊張へという、ひとつの状態から別の状態への転換により、このシーンは燃え盛る炎だけでなく、欠陥をかかえた、焼けつくような人間の真実を描き出しているのです。

ナターシャ・プーリーの『フィリグリー街の時計師』（二〇一五）では、一八八三年のロンドンを舞台に、内務省電信室に勤めるサニエル・スティープルトンのささやかでわびしい生活が、ある日部屋に置かれていた見覚えのない懐中時計によって一変します。この時計はどうやら、これから起きる出来事を教えてくれるものだということがわかっていきます。当時は、アイルランドの独立を求める友愛団体で、IRA（アイルランド共和主義軍団）の前身であるフェニアン団がロンドンじゅうで爆破テロを起こしていた時代であり、サニエルは時計のおかげで命拾いをします。

サニエルが解読した一通の電報は、内務省そのものが爆撃の標的になることを告げていました。爆破が予告された日、そしてその時間、だれもが緊張の極限にいる一節を読んでみましょう。

じわじわと九時が近づくにつれて、電信室の動きが緩慢になった。モールス信号が届く間隔が空き、オペレーターたちは爆発音に耳をそばだてた。廊下を隔てた広めの部屋ではタイピストたちが打つリズムを崩し、声をひそめている。サニエルは電鍵に置いたパークの指の関節が白くなっていることに気づいた。身を乗りだしてそっと電鍵から手を放してやり、立ちあがって廊下を横切った。電信室には窓がないが、タイプ室にはホワイトホール・ストリートを見おろす大きな窓がある。ほかのオペレーターもついてきた。タイピストも席を立ち、大きな窓へ歩み寄った。開け放たれた窓からオゾンのにおいが漂ってくる。大勢の人間が耳をそばだてているのを知っているように、街の尖塔の周囲で雷鳴が低く轟いていた。

国会議事堂からゆるやかな鐘の音が九つ聞こえたが、街はいつもの姿を保ち、閃光《せんこう》も煙もあがらなかった。窓枠に雨が打ちつけている。職員たちは目を見合わせたが、動く者はいなかった。サニエルは懐中時計を出した。一分経過、二分、依然としてなにも起こらない。十分。すると通りで大きな笑い声があがった。外務省の職員が早くも帰路についている。ふたりでひとつの傘に入っている。

主任がベルを鳴らした。

「ご苦労だった。早番はここまで。遅番は二分後に開始。解散だ。帰る途中でアイルランド人を見かけたら、内務省からだと言って蹴とばしてやれ」

歓声があがり、サニエルは数か月ぶりに深呼吸した。いつのまにか息が浅くなっていた。徐々にそうなっていた。十一月からずっと、毎時間ごとに一ペニー硬貨を胸に置かれているようだったが、山盛りになった硬貨の重みが一気に消えていた。（中西和美訳、ハーパーコリンズ・ジャパン、二〇一七年、六〇－六二頁）

この一節の冒頭のエネルギーは、爆破を待ちうける内務省の事務員たちの緊迫状態を示すしぐさに見ることができます。サニエルの緊張がほぐれるのは、何か月も深い呼吸ができなかった彼が、やっと「山盛りになった硬貨の重み」が消えたのを意識したときです。乗っていた飛行機が乱気流を通りぬけた経験はありますか？　肘掛けを握りしめていた手を緩めたときを思い出せば、サニエルの気持ちがわかるはずです。あなたが感じたエネルギーは、死の恐怖です。それに代わった緊張とは、自分の無事をうたがうなんてばかげていたと思う感覚です。

《感情を引き出す技巧　演習問題その10》

緊張からエネルギーへの移行

以下の答えを考えてください。

- あなたの主人公が何か不正なことを見聞きした瞬間を選びます。もっと勇敢な人間だとしたら、どのように関わるでしょうか？
- あなたの主人公には得意なことがあります。もっと目先がきく人間だとしたら、それをどのように自分の強さの誇示に変えていますか？

・あなたの主人公は頼りになる人間です。もっと勇敢な人間だとしたら、どんな大胆な行動に出ますか？
・あなたの主人公は他人を見抜きます。もっと思いやりのある人間だとしたら、どのように他人にやさしさを示すでしょうか？
・あなたの主人公は平和を好む人間です。真のリーダーであれば、権力をふるうことで平和を維持するでしょう。あなたのストーリーで言えば、どのようにそれをおこないますか？
・あなたの主人公ははみだし者で、まわりに順応せず、自分を部外者のように感じています。もっと自立した人間だとしたら、反逆者となり、法さえ破ることでしょう。それはどんなときですか？
・何か、あるいはだれかが主人公をいら立たせています。もっと短気な人間だとしたら、我慢の限界に達しているでしょう。読者はそれをどう見ますか？
・主人公には愛情を感じている人がいます。もっと積極的な人間だとしたら、どのように深く関わるでしょう？
・主人公が内にこもったり、よそよそしかったりするときを選んでください。もっと情熱的な人間だとしたら、完全に距離をおいて、気にかけないことでしょう。読者はどのようにそれに気づきますか？
・あなたの主人公は、自己中心的で、傲慢ですらあります。もっと強い（あるいは弱い）性格の人間だとしたら、虚栄心が強いだけでしょう。あなたの主人公は、特にどういうことについて自己中心的なのでしょうか？

・あなたの主人公は論理的に物事を見ています。もっと直感的な人間だとしたら、深く考えずに、予想外で独創的なことをするはずです。それはどんなことでしょうか？
・あなたの主人公には、魅力を感じている人がいます。もっと自由な人間だとしたら、身をかがめてキスするか、キスしてというまぎれもない合図を送ることでしょう。どんなふうにおこないますか？
・主人公は魔法が使えます。力のある魔法使いであれば奇跡を起こすことができます。主人公が使えるいちばん大きな魔法はどんなものですか？
・あなたの主人公は賢明です。真に卓越した人間だとしたら、不可能を可能にするでしょう。あなたのストーリーで不可能なことはなんですか？

あなたが考えた答えには、主人公をより活動的で、力強く、驚きに満ちた、忘れられない人物にする方法のヒントがありますか？　そうであれば、それを使いましょう。

人生において、わたしたちの気持ちは揺れ動きます。自分自身に反抗し、自分らしくない行動をとります。ちがう人間を演じることもあります。ですから、登場人物に同じことをさせるのはむずかしくないはずです。わたしたちはみな、自分のなかの相反するふたつの面で迷うものです。後悔し、自分を裁き、自分自身の心を推察し、結果論で考えたあげく、直感で飛び出します。失敗を犯し、警告を無視し、よく考えずに発言し、むこうみずに飛びこみ、軌道修正し、エンドゾーンで飛び跳ね、降参し、打ってはいけないときにパンチをくり出し、足を踏みしめて声をあげるべきときに責任を逃れます。

内面の変化はプロットの感情面での歩みですから、それに合わせて小説のペースを配分してみましょう。そうすれば、読者は内なる鼓動を感じ、目に見えるストーリーの出来事がなくても、前に進むことができるはずです。

《感情を引き出す技巧　演習問題その11》

エネルギーから緊張への移行

以下の答えを書き出し、それぞれについてくわしく説明しましょう。

- あなたの主人公は自分の生き方を持っています。人生観はどのようなものですか？
- あなたの主人公は強い目的意識を持っていますが、満たされない強い欲求もかかえています。その欲求とはなんですか？　主人公はそれをどのようにとらえていますか？
- あなたの主人公が勇気を示したときを選びます。そのとき、主人公は何に対して自信を持っていますか？
- 主人公が感情を抑えられるようになったのはいつですか？　主人公に理解できたこと、できなかったことはなんですか？
- 主人公はひとつの分野で自信を持っています。逆に主人公が勝てないのはどんな分野ですか？　その理由はなんですか？

・あなたの主人公は冒険を好みます。それが恋愛と対立するのはどんなときですか？　主人公は、このふたつをどのように比較していますか？

・主人公が最も強いリーダーシップを発揮するのはどんなときですか？　何を指導するのでしょうか？

・あなたの主人公は善良です。どんなものに美を見出しますか？　それはなぜですか？

・あなたの主人公は大胆です。何に対して心からの誠実さを持っていますか？

・あなたの主人公は反逆的です。どのようにして自分が異端であることに気づきますか？

・あなたの主人公は孤立しているか、自分が孤独であることに気づいています。主人公にとって、このことがある種の欠乏にも思えるのはどうしてですか？

・あなたの主人公は裁きをおこないます。慈悲も示さなければならないことを主人公はどのように理解しますか？

いずれかの答えが、主人公の内面を明らかにする方法となるのであれば、それを使いましょう。

第 5 章

感情のプロット

The EMOTIONAL PLOT

小説を書く人の大半はプロットについて豊富な知識があります。プロットに取り組んで思い悩んだり、雪の結晶の数ほどあるテンプレートや英雄の旅〔神話学者ジョセフ・キャンベルが提唱した理論で、神話で描かれるひとつの流れのこと〕のフレームワークを使ったりして、プロットを発展させていきます。シーンのチェックリストは、ストーリーを書き進めるのに役立ちます。ごくわずかな緊張感でも持続させれば、読者はページをめくりつづけます。プロットのコツをつかめば、小説の基礎は盤石です。そのとおりですが、一分の隙のないプロットでも、読者の関心を引けない場合があります。なぜだと思いますか？

考えてみましょう。

多くの作家は、外的な状況によって登場人物を動機づけます。「これをする必要がある。さもないと、あれが起こるからだ」といったようなストーリーの利害関係も外的なものです。うまくいかなければ、だれもがひどいことになるという意識――わたしが「公の道徳意識」と呼ぶもの――も悪くはないのですが、ただこれには、自発的に沸き起こる感情の効果がありません。

「個人的な関心」は、読者にとってストーリーを重要なものにするための、よりたしかな方法です。これはつまり、主人公が自分のために行動を起こさなければならない理由を指します。内なる欲求や切望がもたらす原動力であり、ストーリー上の出来事が何も起こっていなくても、変化へ向かって主人公を突き動かすものです。

プロットは読者の興味をかき立てます。差し迫った問題や緊張、つぎに何が起こるかわからないという不確実な要素によって読者を引っ張っていきます。しかし、つぎの展開にはらはらするのは、自分の気持ちはつぎにどこへ向かうのだろうという緊張感によるものです。その緊張感によって感情が高ぶります。感情の高ぶりは、内なる欲求によって生じることもありますが、もっと正確に言うと、不安、抵抗、探索、緩慢な降伏、疎外感、人は不完全だと知ることによって生じます。その理由は、秘密のような具体的なものから、実存的な苦悩のような大まかなものまでさまざまです。目に見えないけれど、はっきりと感じることができます。

人はだれでも切望します。だれの身にもいろいろなことが起こります。だれもが対処し、問題を解決し、挫折を味わい、どこかへたどり着き、夢を追いかけます。しかし、そうしたことを実行するために、わたしたちを実際に動かすものとはなんでしょう。それは、試練や目標とはあまり関係がなく、心のなかにあるものです。つまり、不安を解消したい、何かを証明したい、愛されたい、不公平に憤りたい、溶けこみたい、目立ちたい、幸せになれることを見つけ出したいといった欲求です。

プロット上の出来事によってストーリーが開始されるのか、ストーリー（内面の、という意味）によって小説の出来事が開始されるのか、どちらでしょう。これを、ニワトリとタマゴの問題と見なすこともできますが、フィクションの二面性、つまり表向きの旅と内なる旅は連携するとしたほうがうまくいきます。ふたつの旅が互いに増幅し合うと考えるといいでしょう。

同様に、孤独で、アイデンティティの危機に陥るような、暗黒の時間がつづくストーリーの中盤も二面性があります。登場人物を危機的状況に陥れるには、プロット上の大事件が必要ですが、最も恐ろしい裂け目は鏡のなかにあります。カタルシスも同じように、感情が行動に表れますが、何かが抑制されているときにかぎります。また、カタルシスは新たな力も解放します。その力は神からの恩恵ではなく、隠れていた自分自身の可能性を発見することで得られます。小説の中盤では、表面と同じくらい多くのことが内面でも起こります。

欠けている部分を埋める旅は謎めいていて、道中の曲がり角はいつでも、いろいろな方法で現れます。さらに、自分自身に関する意外な発見が、最も長つづきする影響を及ぼします。途中には、親や先生、コーチなどのわかりきった師がいるだけでなく、幽霊、ツバメ、物乞いといった思いがけないものが師となることもあります。自己との格闘は、自分自身のストーリーの本質です。洞察によって日々成長していき、やがて格闘が終わり、平和が訪れたときに幸せな結末を迎えます。これは、物質的な面では測れないものです。

自分自身と和解して幸せになることは、人間本来の欲求です。自分自身の限界を超えるのは、神の領域です。前者はストーリーをすぐれたものにし、後者はストーリーを偉大なものにします。平和を追い求める気持ちは、主人公が幸福になることで満たされますが、主人公が自分の住む世界に満足するまで完結しません。内向きだったものが、こんどは表向きにひろがっていきます。実は、ストーリーの目的というのは、登場人物を変化させるだけでなく、わたしたち全員の変化が向かうべき方向を示すことなのです。

それを達成するにはどうすればいいでしょう。小説が持つ影響力というのは、登場する人物や舞台となる場所、そこで起こる出来事ではなく、そうしたことに読者が感情をかき立てられて生じるものです。熱烈なキスと強打の連続です。猛スピードで展開するスリラーに興ざめすることも、鼻息の荒いロマンスにあきれ返ることもあります。一方、なんの先例もなく、アクションも控えめで、静かなトーンでありきたりな設定のストーリーが、読者を感動させ、揺さぶり、変化させることがあります。

感情の力がなければプロットは空っぽです。感情の力を得るには、プロット上の出来事を、感情を呼び起こす機会としてとらえることです。それでは、しばらく小説の構想を練ることは忘れて、感情を生み出す瞬間を形づくる方法に目を向けましょう。いまから紹介するのは、感情のプロットを構築するための方法です。これは、ページをめくる手を止めないプロットではなく、主人公と自分を比較して、重要なこと、そしてその理由を発見しながら、心のなかであれこれ考えさせるプロットです。

感情をかき立てる書き出し

小説の書き出しについては、これまでにも多くのことが論じられてきました。重要であることはうたがいようがありません。書き出しは第一印象です。ストーリーの約束ごとを作り出し、答えが必要な疑問を投げかけます。読者をストーリーの世界へ引き入れ、出来事を開始するか、少なくともムードを固めます。読者はストーリーの「声」と出会い、ストーリーの目的を感じ、その意味のヒントを得て、たいていの場合、すでに動いているなんらかの流れに身をまかせます。要するに、読者は好奇心をそそられます。実際、書き出しに関するアドバイスのほとんどは、好奇心を高めることを目的としています。フリー編集者のレイ・ラーメイが作成した「一ページ目のチェックリスト」(http://www.floggingthequill.com/first-page%20checklist%20evolved.pdf)は、書き出しを魅力的にする要素を測るためのすぐれたものさしです。文芸エージェントでもあるノア・リュークマンの著書『プロになるための文章術―なぜ没なのか』では、退屈な書き出しになる理由をくわしく解説し、エージェントが原稿を却下する理由のうち、重要度の高いものから順に解決策を提案しています。「narrative hook」(ストーリーのフック)という用語はウィキペディアにも掲載されています。もうわかりましたよね。書き出しの第一の役割は、読者の興味を引くことです。

いや、ほんとうにそうでしょうか? 書き出しはとても重要なので、さらに時間をかけましょう。

人がなぜエンターテインメントを求めるのか、何が人を夢中にさせるのか、心理学は興味深いことを教えてくれています。わたしたち一般人からしてみれば、なぜストーリーが必要で、なぜ魅力的なのかは明らかです。ところが、科学者にとっては、これは大きな謎です。なぜ人は、現実にはありえないとわかっている出来事に夢中になるのか、実在しない人物に強く感情移入し、異を唱え、その結末を自分のなかで想像しなおしてしまうのか、と。

科学者たちはほんとうにこうしたことを研究しているのです。体験するためにストーリーを探し求めることは、科学者が言う「意図的な動機づけ」の実例ですし、ストーリーの処理には、「感覚記憶」、「作動記憶」、「エピソードバッファ」が関係していて、最終的には「長期記憶」として定着します。わたしたちが狩りやキャンプファイヤーのことを話すとき、科学者は「帰属理論」、「認知的経験的自己理論」、「カルティベーション理論」、「社会的判断理論」、「主題補償仮説」などと、あれこれ推測しているわけです。ここまではよろしいですか？

ストーリーに夢中になるという行為も、科学者は「移入」、「予測的共感」、「反事実的思考」といった専門用語で説明します。なかでもいちばん重要なものは、読者がストーリーに没頭する理由、「ディスポジション理論」です。

これらをもう少しかみ砕いて説明しましょう。

まず、読者の興味をそそらせるためには、なんらかの支援が必要です。ストーリーを楽しんでもらうためには、目新しさや課題、または美的価値を示さないといけません。ストーリーは読者に、心理学者が「認知的評価」と呼ぶ思考を引き起こします。わかりやすく言えば、読者に、考え、推測し、問いを立て、比較することをうながします。読みながら考えると、ストーリーが興味深くなります。また医学的に見ても、わたしたちの幸福や心の健康のために必要です。

簡単に言うと、健康でいるためには、驚きを体験しないといけません。ストーリーを読む必要があると感じる理由のひとつがこれです。実際、そのとおりです。

また、考える必要があると、ストーリーが長期記憶へ到達する可能性も高まります。これは、ストーリーを熟考すればするほど、作業記憶の処理時間が長引き、それによって長期記憶への道が解放されつづけるからです。読者にあることを理解させる。読者を驚かせる。読者に何かを決断させる。洞察や新しい情報を得たり、驚いたり、道徳的な課題に挑んだりすることは、どれも認知を刺激するものであり、それが熟考するということです。

でも、ちょっと待ってください。興味を引くだけではうまくいきません。読者がストーリーにはいりこむためには、別の何かが必要です。

それは、感情をかき立てる体験です。読者は、ストーリーに対してではなく、自分自身に対して何かを感じたいと思っています。本を読んでいるあいだは、駆け引きしているような気分を味わい、予想し、推測し、考え、判断したいと思っています。それと同時に、ストーリーを読みきって、ある種の達成感に浸りたいとも思っています。

そして何より、読者はストーリーの登場人物とあたかも一体となったかのように、架空の体験を生きる感覚を味わいたいのです。この「あたかも」の体験は、単にプロットを読み進めるだけでは得られません。読者は感じることによってはじめて、ストーリーを記憶に留めることができます。もちろん、プロットの展開が感情をかき立てることはありますが、ある程度の範囲に限られます。プロット上の紆余曲折は、単純な驚きを引き起こすものがほとんどです。

それはそれでかまわないのですが、より深い絆は、単純なプロットではなく、読者が登場人物に好感を持つことで生まれます。登場人物に対してすぐにプラスの道徳的判断をくだせるときに、つまり、その人物のなかになんらかの善を見出したときに絆が生まれます。心理学者はこれを「情緒的傾向《ディスポジション》」と呼んでいます。ふつうのことばで言うと、これは「好み」であり、より正確には「称賛する」気持ちです。小説家が登場人物を魅力的にするのはそのためであり、脚本家のSAVE THE CAT理論も同じことです。しかし、これはまだはじまりにすぎません。なんでもない一日が、日の出とともに深い感動に包まれるわけではなく、大事なのはそれからです。

登場人物に好感を持たせる必要があることは、それによって小説に関するいくつかの不可解なことが説明できる事実からも明らかです。たとえば、読者にページをめくってもらうために、スリラー作家は登場人物をつねに危険にさらして走らせないといけないのに対し、ロマンス作家は、単調なプロット上の葛藤（好きよ／いやよ）を何度も繰り返し、はっきりしたプロットの変化も見当たらないのに、なぜ吸いこまれるような力強いストーリー体験を生み出せるのでしょうか。

スリラーとロマンスは、純粋な興味と心からの感情移入という点で、対極にあります。しかし、このふたつの要素を同量ずつ取り入れることは、読者の関心を引くのに最も効果的です。プロットのフックと感情のフックが同時に起これば、互いに作用し合います。興味は、感情と結びつくきっかけを作ります。感情の結びつきはストーリー世界の要素を拡大し、読者の心に驚きや疑問、不思議に思う気持ちを生じさせます。つまり、最高の書き出しは、読者の興味をそそり、感情移入させるものです。

では、そのワンツーパンチを実現するにはどうすればいいのでしょう。実は、プロットのフックについては心配ありません。この点については、ほとんどの原稿がクリアしています。問題は、感情のフックがない場合が多いことです。つまり、出会った瞬間にその人物のことを気にかける――その人物のよい面を理解する――単純な理由がないのです。読者はほとんど瞬時に手がかりをつかんで判断するので、一ページ目でまさにこの緊密な結びつきを達成しなければなりません。もっと簡単に言えば、その登場人物が自分の時間を費やすに値するかどうか、読者はたちどころに見抜きます。

では、読者は何をもって「よい」登場人物と見なすのでしょうか。答えは読者によってまちまちですが、一般的に最も幅広く魅力があるのは、言うなれば、手本となるような心の値打ちを持つ登場人物です。思いやり、洞察力、正義への献身、家族への思い、愛、堅実さ、犠牲心、無私の精神といった美徳は、サバイバル、成功するための努力、名声の追求、疎外感、孤独よりも早く、強く読者を引きつけます。

登場人物のはっきりしない部分に焦点をあてることは、ジャンルによっては直感に反すると思われるかもしれませんね。たとえば、SFやファンタジーの作家は、読者が異なるルールの世界にいち早くはいりこみたいと思っていることを承知しています。スリラー小説の作家は、恐ろしげな雰囲気を作り出すことが第一の仕事であると了解しています。また、どんな小説を書くにしても、あからさまな問題ではないにせよ、主人公に疑問やニーズをすぐさま投げかけるべきだと、だれもが知っています。野球のバットで殴りつけながら、主人公をあたたかくてやんわりした気持ちにさせるなんて、一体どうすればいいのでしょう？

それこそ、すぐれた両刀使いのなせる技です。スーザン・コリンズの『ハンガー・ゲーム』（二〇〇八年）の書き出しを見てみましょう。表面上は、朝起きたところからはじまるという、掟破りのオープニングです。

目を覚ますと、ベッドの隣は冷たくなっていた。手を伸ばしてプリムの肌の温もりを探したが、キャンバス地のマットレスカバーのざらりとした感触だけが手に残った。たぶん妹は怖い夢でも見て、母さんのベッドにもぐりこんだのだろう。それも無理はない。きょうは刈入《かりい》れの日なのだから。（河井直子訳、KADOKAWA、二〇一二年、一〇頁）

ちょっと待った。なんでしょう。刈入れ？　ホラーの名手シャーリイ・ジャクスンが描写する悪夢か何かでしょうか。これが興味をそそるわけです。感情の結びつきは爆弾投下前に起こることです。視点人物であるカットニス・エバディーンは目覚めてすぐに何をする？　だれに手を差し伸べて、その身を気にかける？　妹のプリムです。読者はたちどころに、カットニスがあたたかい心の持ち主だと理解します。

人種差別を扱ったハーパー・リーの『アラバマ物語』の冒頭もやはり掟破りであり、取るに足らない細部にこだわる、のんびりしたバックストーリーを描写した一節です。でも、ほんとうにそうでしょうか？

兄のジェムは、十三になろうという年に、ひじをかなりひどく骨折したことがある。一時は、これでもうフットボールができないのかと、ひどく悲観していたが、なおって、その心配もなくなってしまうと、それからは、大してひじを気にしなくなった。

しかし、それ以来、ジェムの左手は、わずかだが、右手より短くなった。立っているとき、歩いているとき、気をつけてみると、左手の甲が内側にねじれて親指がいつも腰にふれていた。しかし、当のご本人は、フットボールでパスやバントができさえすれば、少しくらい腕がねじれてなおろうが、いっこうにかまわなかったらしい。

それから何年かたち、私たちも昔のおもいでばなしなどする年になると、しぜん、ジェムが左腕を折ったあの事件も、ちょいちょい二人の話題になっていた。

あの事件は、みんなユーイル一家のことから起こったのだと、私はおもうのだが、四つ年上のジェムにいわせると、それよりずっと前、つまり、ディルがやってきて、ブー・ラッドリーを外へつれ出そうじゃないかといいだした、あの夏からはじまるというのだ。（菊池重三

郎訳、暮しの手帖社、一九八四年、七頁）

すみません、ブー・ラッドリーとは？　ディルという登場人物にも興味を引かれますが、ブー？　わたしはみごとに釣り針にかかりました。とにかく、しばらくは夢中で読み進めてしまいそうです。こんなふうに、ハーパー・リーは読者の興味を引きつけます。

ところで、感情のフックはどうでしょうか。少々特定しづらいのですが、やはり、これも家族でしょう。語り手のスカウトは、腕の骨折が兄の自尊心を傷つけるのではないかと心配するほど兄のことを気にかけています（でもそんなことはなかったと、スカウトは読者を安心させます）。またスカウトは、「ジェムが左腕を折ったあの事件」の発端にまつわる兄の意見にもきちんと耳を傾けます。スカウトは何年か経ってから振り返っていますが、相変わらず兄と仲がよいからこそ、読者はすぐにスカウトに親しみを感じてもいいのだと理解します。スカウトが気にかけることは、わたしたちも気にかけます。スカウトに心を寄せてもだいじょうぶです。

家族は、主人公にあたたかみを加えるのに有効な手段ですが、もちろん方法はそれだけではありません。自分の本棚をチェックしてみてください。強さ、ユーモア、人間味、善良さなど、どんな小説にも、ほんの少しですが、あなたを二倍夢中にさせるフックがあることがわかるはずです。そうしたフックを利用して、あなた自身の読者を引きつけてはいかがでしょう。

《感情を引き出す技巧　演習問題その12》

感情のフック

・小説の書き出しで、主人公が気にかけている、あたたかくて人間らしいものを探します。風変りなストーリーの場合は、現実世界でだれもが気にかけることを選びます。通常の世界が舞台であれば、主人公が熱心に思っているものを探します。その気持ちからストーリーを開始します。

・つぎに、書き出しの状況のなかで何か変わったこと、妙なこと、おかしなこと、困ったこと、奇異なこと、矛盾していること、つじつまの合わないこと、説明しがたいことを見つけ出し、それを強調します。ただし、それ以上積み重ねたり、すぐに説明したりせず、説明のしすぎにも注意します。提示した謎や生じた疑問の効果を、しばらく持続させましょう。わからないという状態には、緊張感がともないます。

とても単純に思えることが、多くの原稿に欠けているのが不思議でなりません。きっと、興味を引くことにすべての注意を向けてしまうからでしょう。しかし、それと同じくらい重要なのが感情移入であり、最高の書き出しはその両方を提供します。

なぜ読者は主人公に恋してしまうのか

人はさまざまな理由で恋に落ちます。あなたやわたしが考えもしないような人に恋します。わたしが恋する相手は、おそらくあなたが恋する相手とはちがいます。わたしにとって魅力的でも、あなたにとってはそうでもないでしょう。万人に通用する魅力があると考えるのはまちがいであり、小説を書くうえで、そんな魅力を持つ主人公を創作するのは不可能です。できっこないのです。

では、主人公を創作するにはどうしたらいいのでしょうか？　まず受け入れるべき第一の原則は、だれもが魅力的だと思う主人公はいないということです。それは無理な話です。一方、主人公を際立たせ、人を引きつける資質を損なわずに、その魅力を高めることは可能です。

つまり、普遍的な魅力を持つ登場人物は存在しませんが、人を引きつける資質は存在します。輝きを放つようなものが最も魅力的ですが、ほかにもたくさん考えられます。猫を助けることがすべてではないのです。

実生活で、最初に魅力を感じるのは、外見などの表面的な資質にもとづくものです。これは映画制作には応用できますが、小説の世界ではあまり役立ちません。小説家が読者と登場人物を結びつけるには、別の何かを使う必要があります。人が恋に落ちる理由を思い出してください。つまり、自分を反映し、理解し、受け入れてくれる相手だということです。固い絆を結ぶ相手というのは、ひとつには、相手がその人だからではなく、その人が自分と似ているからです。

似ていることは、「共感」を生み出すという、時代を超えた原則につながるように思えます。これを文学的にとらえると、わたしたちと同じような生活や境遇にある人物を登場させるという意味です。キッチンの流し台、タイヤのパンク、オムツ交換といった場面から書き出せば、確実に読者と主人公の絆を深められるはずですよね？　残念ですが、ちがいます。そんなわけにはいきません。平凡な日常はわかりやすいですが、毒にも薬にもなりません。しかし、逆説的に言えば、わたしたちは自分とはまるっきり別のタイプの登場人物と絆を深めることができます。

たとえば、X世代やミレニアル世代の典型的なヒロインに、わたしがどう共感するかを考えてみましょう。関係などないはずですよね、わたしとはまったくちがいますから。この世代のヒロインは、機転がきく反面、自分が無力だと感じています。鋭い観察眼を持っていますが、自分の運命を意のままにできるわけではありません。不満や皮肉な意見を持っています。自分はのけ者で、仲間はずれで、だれからもかまわれず、不当に差別され、無力だと感じています。彼女たちは、男性が支配権をにぎる大人の世界とは関わっていません。映画では、クリステン・スチュワートとジェニファー・ローレンスがこうした人物を演じています。

X世代やミレニアル世代のヒロインは、両親が離婚したり不在だったり、悪い冗談のような政府だったり、主義や道義ではなく利益が支配している世界を目の当たりにしている読者の体験を反映しています。一方、男性はといえば、繊細でありながら強く、何かに苦しんでいるロバート・パティンソンのようなタイプでなければ信頼されません。ヒロインは自分の力を発見し、最終的には人生と運命をわがものにします。彼女たちの語りのトーンは皮肉めいたものかもしれませんが、その役割はかならずといっていいほど英雄的です。

理論的には、若い女性読者に絶大な人気を誇るヒロインに、わたしは共感できないはずです。こうしたヒロインや読者は明らかに、白人特権社会のベビーブーマー世代のわたしとはちがいます。しかし、わたしはカットニス・エバディーンやベラ・スワン〔『トワイライト』シリーズの主人公〕などの、せつなくて皮肉に満ちたヒロインが大好きです。

ちょっと待った！　ベラとカットニスはまるで似ていないじゃないかと言われそうです。たしかにそうかもしれませんが、このふたりの語り口と世界観を比べてみてください。カットニスは国家パネムを打ち負かす一方で、ベラはオリンピック半島ですねてみせたり、ヴァンパイアとキスしたりするだけかもしれませんが、どちらも最初は無力な負け犬であり、男社会で生き抜いていく女性です。では、わたしは彼女たちとどんな関係があるのでしょうか？

わたしがこうしたヒロインと結びつく理由はふたつあります。わたしとはまるでちがいながらも、似ている点があるのです。それは、感じる心があることと、何かを切望していることです。彼女たちは深く感じ、ほしいと思っているものがあります。読者は、ヒロインが何を求めているのか知る前に、その切実な思いを感じとります。

カットニス・エバディーンとベラ・スワンの紹介を比較してみましょう。このふたりは、ヤングアダルトの主人公としてとても人気がありますが、作者のアプローチやスタイルはだいぶ異なります。まず、数ページ前に紹介した『ハンガー・ゲーム』の書き出しをもう一度見てみましょう。

目を覚ますと、ベッドの隣は冷たくなっていた。手を伸ばしてプリムの肌の温もりを探したが、キャンバス地のマットレスカバーのざらりとした感触だけが手に残った。たぶん妹は怖い夢でも見て、母さんのベッドにもぐりこんだのだろう。それも無理はない。きょうは刈入《かりい》れの日なのだから。（同）

これがみごとな書き出しということは説明しました。しかし、先ほど指摘したプロットのフックと感情のフックに加え、『ハンガー・ゲーム』がディストピアの未来を舞台にしていることを思い出してください。それに対して、ステファニー・メイヤーの『トワイライト』（二〇〇五）は、まず、わたしたちと大体似たような世界に住むティーンエイジャーの少女ベラ・スワンが主人公です。ベラはティーンエイジャーにありがちな悩みをかかえています。ストーリーは、ベラがアリゾナ州フェニックスの空港へ向かっているシーンからスタートします。そこから、父親のチャーリーといっしょに暮らすため、大自然に囲まれ、雨がよく降るワシントン州のオリンピック半島へ北上します。

ワシントン州北西部のオリンピック半島に、フォークスという名のいつも雲におおわれた小さな町がある。そのちっぽけな町には、全米のどんな場所よりたくさん雨が降る。

ママが、そのどんよりした不吉な雲におおわれた町から逃げだしたのは、あたしが生後数カ月のときだった。そして十三歳まであたしは毎年、夏の一カ月をその町ですごさなければならなかった。でも、十四歳になってようやく自分の意見を主張した。だからこの三年は、かわりにチャーリー……ううん、ちがった、パパとカリフォルニアで落ちあって一緒に二週間の休暇をすごしてきた。

あたしはいま、その雨と霧の町に、自分を追いこもうとしている。フォークスなんて大嫌いなのに。

大好きなのはフェニックスだ。太陽と焼けつくような熱気。活気にあふれた大都会があたしは大好きだった。

「ねえ、ベラ」飛行機に乗る前、ママはいった。これで千回目。「こんなこと、しなくていいのよ」

ショートヘアと笑いじわをべつにすれば、ママとあたしはそっくり。そのあどけない大きな瞳を見つめているうちに、心がぐらりと揺らいだ。おひとよしで、気まぐれで、むこうみずなママを残していくなんてやっぱりできない。もちろん、いまではフィルがいてくれるから、生活費だって問題ないはずだし、冷蔵庫には食べるものが、そして車にはガソリンがちゃんと入るだろうし、迷子になったら連絡する人もいる。でも……

「行きたいんだもの」あたしはウソをついた。

昔からウソは下手だけど、このウソは最近何回も口にしてきたから、いまではほとんど本気に聞こえる。

「チャーリーによろしく伝えてね」ママはあきらめていった。

「うん」

「近いうちにまたね」ママがきっぱりいった。「いつでも、好きなときにうちへ帰ってきていいのよ。あなたがそうしたいなら、ママもすぐもどってくるから」

言葉とは裏腹に、瞳には悲壮感が浮かんでいる。そんなわけにいかないことはママだってわかってるんだ。

「あたしのことは心配しないで」と説得した。「きっとうまくいくわ。元気でね」(小原亜美訳、ヴィレッジブックス、二〇〇八年、一一‐一三頁)

運命のことば。「あたしのことは心配しないで」。わかりました、了解です。でも、なぜベラは、きらいな町へ行くことにしたのでしょうか？　それについていただく興味は軽いものですが、もう少し読み進んでもらうにはじゅうぶんです。

わたしにとってさらに興味深いのは、この文章の根底にある感情の流れです。ベラ・スワンは、フォークスに対する感情と、機能不全の母親から離れることについての矛盾した感情以外に、何を感じているのでしょうか。複雑なメッセージに気がついていますか？　ベラは母親に嘘をついていますが、読者にも嘘をついています。ベラは、まだ説明していない理由でフォークスへ行くのです。おそらくは母親のため、あるいは父親の生活を楽にするため、それともまったく別の理由かもしれません。

この書き出しのベラの語りに埋もれているものは、期待感です。何に対するものなのか、読者はまだ知りませんが、ベラは知っています。フォークスで何かが起こるのは確実ですが、ベラはその内容を急いで語ろうとはしません。その代わりに、親のことを、絶望的で、隔てのある、感覚がずれた存在として見ているという、ありふれた一〇代の若者らしい思いを感じることができます（このストーリーでは、親たちはまさにそんな存在です）。また、見せかけの倦怠感で覆われた内なる興奮も、わずかに感じとることができます。ベラは実のところ、「むかしむかし、はるかかなたの雨の森で……」と読者へ向かって語りかけているのです。

ベラ・スワンの切望は、読者に自分のことを知ってもらい、自分の秘密にふれ、ごくふつうの少女に起こる非日常の出来事を理解してもらうことです。ベラは、どこにでもいる自己中心的な一七歳の少女のように思えるかもしれませんが、その心の奥底で求めているのは、自分の暗い物語に耳を傾けてもらうことです。

《感情を引き出す技巧　演習問題その13》

読者と主人公を結びつける

・頭のなかで、自分の小説の書き出し、またはストーリーを開始するのに適していると思える場面を思い浮かべます。それが頭に浮かぶのは理由があるからです。
・どんなに些細なことでもいいので、その場面で起こっているプロット上の出来事、つまり、変化をもたらし、主人公を動かすきっかけとなる出来事を書き出します。
・つぎに、それを消去します。それに取り組む必要はありません。
・その場面を、主人公の人生のなかの時間軸で考えてみます。主人公がいま、強く感じていることはなんですか？　主人公はだれのことを気にかけていますか？　主人公が切実に感じていること、あるいは理解していないことはなんですか？　なぜですか？　その理由をくわしく書きます。読者が知るべきことを書き出します。

- 主人公は、その人物／状況／物事をただ気にかけるだけでなく、心配しています。それは、だれにとってもではなく（そうかもしれませんが）、主人公にとっては重要な意味があるものです。主人公が自分の身に起こるのを恐れていることを書き出します。その心配ごとについて、他人にはわからない、あるいは見えない側面を追加します。なぜ主人公はそれに対して実行できること、あるいはできないことがあるのでしょうか？
- または、主人公が楽しい気分になることや、いっしょにいて楽しくなる人物を選びます。主人公は何を喜び、何を心待ちにしているのでしょうか。なぜその日をいい一日だと思えるのでしょう。その理由をくわしく書きます。ほかの人が知らないような、あるいは見えないような理由を加えます。主人公は、なぜこの幸福に値するのか、あるいは値しないのでしょうか？
- あなたが取り組んでいる情熱、不安、喜びなど、どんなものであれ、それをくわしく書きます。具体的に。その強い欲求を特別なものにしているのはなんですか？　なぜそれは、いまとそれ以外のときとで異なるのですか。また、その場面の体験はどんなものですか？　隠喩を作成します。その場面にいることは……何と似ていますか？
- これは主人公の人生において、滅びゆく瞬間なのか、それとも永久につづくのでしょうか？　それはよいことですか、悪いことですか？　主人公は、その体験がほかのだれの体験とも異なっていることを、どうやって知るのでしょうか？
・メモをまとめ、段落や文章を作成して、読者を主人公の内面へ引きこみ、何が起こっているかを示します。プロットで起こっていることではなく、主人公の内なる切望を描きましょう。

普遍的な登場人物は存在しませんが、普遍的な人間の欲求は存在します。心。思いやり。希望。夢。切望。ギリシャ神話の英雄オデュッセウス、『異邦人』（一九四二）のムルソー、『風と共に去りぬ』（一九三六）のスカーレット・オハラ、スティーヴン・キングの傑作ホラーの主人公キャリーまで、ヒーローやヒロインは、だれもが感じる人間の強い欲求を表現しています。

欲求と必要は別物です。プロット上の問題を解決する必要性は、主人公を行動に駆り立てますが、それは人間的な絆を作り出すこととはちがいます。欲求が引き起こすものは、内面の切実な思いです。

感情の中間点

ニューヨークの地下鉄には、わたしが通勤に使えるふたつの路線、L系統とM系統があります。M系統はウィリアムズバーグ橋を渡って、L系統はイースト川の下を通ってマンハッタンへ向かいます。

たいていの日、わたしの仕事は、息子を学校やサマーキャンプへ送っていくことからはじまります。M系統を使うときは、ふたりでスライド式のドアのそばに立って、ぼんやり外をながめます。列車が橋に差しかかると、わが家のあるブルックリン界隈、ウィリアムズバーグが足元で小さくなっていきます。列車が川の上を走りはじめても、線路の傾斜はまだ上向きで、眼下にひろがる灰色の川面には、船の通った跡にいくつものV字が刻まれています。

遠方には魔法の国、超高層ビルが密集するマンハッタンが見えます。でも、わたしたちはまだそこにはいないし、わが家にいるわけでもありません。橋の中央が近づいてくると、わたしは橋の中心にいる瞬間を見極めようとします。そこが橋のいちばん高いところ、頂点であり、弓の変曲点です。そのほんの一瞬、後退も前進もせずにただ静止し、目にするながめに息をのみます。前方から向かってきたあらゆるものが後方へ流れていき、その先にあるものはまだ漠然としていきます。

L系統に乗るときは、最後尾に乗りこみます。最後部の窓から外をながめるためです。息子は後続の列車のヘッドライトを見るのが好きですが、わたしはトンネル内の青いランプを見ています。川が近づいてくると、明かりは下方へ曲線を描きだし、突然気圧が変化したかと思うと、列車はもう川の下を走っています。青いランプは川の手前で終わり、長くて暗い、危険なひとときを、ガタガタと揺さぶられながら、宇宙を疾走しているかのごとく、孤独にトンネル内の線路を走っていきます。

わたしはこの列車でも、トンネルの最深部、どん底、眉間のいちばん深いしわとでもいうべき中間点を見極めようとします。そこは孤独な場所です。ほとんどの通勤客は、音楽を聴いたり、電子書籍を読んだり、数独を解いたり、新聞や小説を開いたりして気をまぎらわしています。わたしは、ほんの一瞬であっても最も暗い地点を感じたい、安全なものがすべて後方へ消えていき、これから訪れるものはまったくの未知である瞬間を見極めたいのです。一番街の駅までは長い道のりで、到着するとなんだかほっとします。

それでは、あなたの小説の中間点、震源地、軸となる場所について考えてみましょう。その場所が、自分の原稿のどの場面にあたるかわかりますか？　わからない場合は、ぜひとも見つけ出しましょう。偽りの約束の丘の上をめざしているのでしょうか、それとも実存的絶望へ向かって降下していますか？　なんであれ、それは鏡に向き合うような瞬間です。主人公が、希望または恐怖だけを頼りに、完全に孤独になる瞬間です。物語が一時停止し、あともどりできなくなり、未知の世界へ飛びこもうとする瞬間です。

中間点の使い方はさまざまです。ジェームズ・スコット・ベルの著書『小説は真ん中から書く』

（未訳）では、中間点を使ってキャラクターアークを発見することを勧めています。つまり中間点は、主人公がしかるべき人物（アークの終わり）になるために、変化が開始する地点（アークのはじまり）を見つけ出すのに役立ちます。

その他の多くの作家は、「真っ暗な瞬間」を書くことを提唱しています。これは、絶望の淵から新しい方向性が見出される瞬間で、すべてが失われたように思える第二幕の終わりが典型的ですが、なおかつ不屈の決意が生まれる瞬間でもあります（『風と共に去りぬ』のスカーレット・オハラが「神様に誓います。二度と飢えません」と言ったように）。真っ暗な瞬間とは、主人公が恐怖、失敗、ジレンマ、あるいは死と直面するような瞬間かもしれないし、秘密があばかれるとき、恥をかくとき、主人公の行動が恐ろしい結果をもたらすときなどといった、真実の瞬間かもしれません（ウィリアム・スタイロンの『ソフィーの選択』（一九七九）には、このすべてがあります）。

プロットやストーリーの目的の中間点がなんであれ、それを見極めて、読者が無重力状態の橋の頂点や、トンネルの暗い最下部といったものを体験する空間を創り出すことが重要です。登場人物の心の闇ではなく、内なる転機や運命の転換を感じてもらうことをめざしましょう。

アミティ・ゲイジの三作目の小説『シュローダー』（二〇一三／未訳）は、ドイツ系移民のエリック・シュローダーについての物語です。一九八四年、一〇代のエリックは、富裕層向けサマーキャンプに参加するために、エリック・ケネディと名乗り、有名政治家一族の（遠縁ながらも）親族という、新たな身分になりすまします。その嘘を見破られることなく成長し、やがて結婚して娘のコートニーを授かります。

そのあと離婚し、親権が一段と制限されるようになったエリックは、面会日にコートニーを誘拐し（ふたりの関係は良好なので、この場面はさほど不快ではありません）、七日間かけてニューヨーク州北部のアディロンダック山脈地帯を横断するドライブを開始します。ある晩、ジョージ湖の近くを走っているときに、エリックは自分が取り返しのつかない状況に陥ったことを悟ります。エリックは自分のことを、死神に訴える死者になぞらえ、その胸の内を語ります。


しかし、死者は魂が昇天して北へ向かう。わたしは計画より少し遠くまで車を走らせた（あそこへ行くにはたくさんの道がある）。あるものから遠ざかることは、別のものへ近づくにすぎない。

近づく、だが具体的に何へ？

遠ざかる、一体何から？

罪の意識は加速する。アクセルは踏みっぱなしに。思考はすさまじい速度でやってくる。思考はそうやってみずからを罰する。バックミラーに後続車のヘッドライトが映ったり、少し離れたところから車が追いついてきたりすると、この速度が威力を発揮した。近づいてきた車のライトがバックミラーを満たすと、スピードを出さずにはいられなかった。速度をあげる。思考のように。車が通り過ぎてからようやく、思考の急ブレーキに頭がくらくらしていることに気づいた。テールランプの赤い光に吐き気を催した。悪いことをしているのはわかっていた。だが、わたしだってさんざん悪い仕打ちを受けた。それに、ときには正義のために悪が為されることだってある。

目にした標識に、「パラドックスまであと二マイル」とあり、思わず苦笑した。

罪を犯しているがまだ捕まっていない。正当化しているがしきれない。きちんと整備された道路を走っているが迷っている。エリックは道路を疾走していますが、時間と場所の間《はざま》で一時停止しています。エリックは出発も到着もしていません。まさにどっちつかずの状態で、そのうえ逃亡者です（この小説は、刑務所の監房からフラッシュバックの形式で語られます）。

作者のゲイジがこの場面で表現しているのは、正確には鏡をのぞくような瞬間ではありません。「わたしはどうなったのか」、「どうしてこうなったのか」、「わたしは変わらなければならない」といった類のものではありません。そこは中間点であり、そこからさらに奥の、より悲惨な奈落の底をのぞきこんでいるのです。ここでもないし、そこでもない。実にひどい状態です。

どこかへたどり着くという希望もない宙吊りの瞬間は純粋に恐ろしく、裁きの救済さえ訪れません。悪事をしでかしたときに最も恐ろしいのは、自分自身とふたりきりになることです。

《感情を引き出す技巧　演習問題その14》

感情の中間点

・もはやあともどりできない瞬間、絶望の瞬間、自分は何者でどんな人物になったのかと思う瞬間を考えます。場所の詳細、後悔の痛み、まったく新しい恐怖、不可能な希望といった要素をそれぞれひとつずつ盛りこむようにします。

・中間点で、主人公がそれまで自分のことをどんなふうに見ていたのかを書きます。その見方のどこが、もはや真実ではなくなりましたか？　主人公はこれからどんな人間になる必要がありますか？　主人公に欠けているもの、ぜったいに達成できないものはなんですか？
・中間点で、主人公はそれまで見えなかった何が（どんなに遠くても）見えるようになりましたか？　はるかかなたの後方にあるものが見えなくなりましたか？　これから何が起こりますか？　二度と同じではなくなるものはなんですか？
・中間点で、主人公は迷っているのか、それとも進むべき道が見えていますか？　どちらの状態でも歓迎されるのか、それとも歓迎されないのでしょうか？　ただ存在しているという瞬間に、時間から解き放たれて宙吊りになるのはどんな感じでしょうか。この瞬間は崇高なのか、地獄のようなものなのか、あるいはその両方ですか？
・これらのいずれか、またはすべてを織りまぜて、旅の頂点または最深部を通過する描写を作成します。

あなた自身の人生に転機が訪れたことはありますか？　自分の過ちと向き合い、失敗を認め、進むべき道を探したことはありますか？　自分が未熟であること、物事を成しとげられないこと、自分の限界がだれの目にも明らかであることを知り、打ちのめされたことがありますか？　あと数秒で死ぬかもしれないと思った瞬間はありますか？　やるかやられるか、やるならいま、決める

のは自分という状況に陥ったことはありませんか？

もし、これまでに決定的な転機を経験したことがあるのなら、何をページにこめようとしているのかわかるはずです。それは、ふたりの自分にはさまれて静止しているときの、息もつけないような瞬間です。状況はこれまでとは同じではありませんが、それ以上に重要なのは、自分もまた同じではなくなるということです。そんなときに自分を支えるのは、何が起こっているかではなく、逃れられない破滅の感情と避けられない決断です。

無力。漂流。喪失。破壊。空虚。孤独。前へ向かって突き進む。止まれない。まだ生きている。意味もわからずに新しい自分になる。これらすべてが中間点です。死へ向かう地獄のような急下も、生きる意志をとらえて、巧みに描写すれば、感情をかき立てることができます。

失敗と敗北

ホッケーに夢中な息子をニューアークで開催されるNHL（ナショナルホッケーリーグ）の試合（デビルズ対シャークス）へはじめて連れていくという目標の前に立ちはだかったのは、たった一台の機械でした。

その機械は、マンハッタンのペンシルベニア駅にある、ニュージャージー・トランジットの券売機です。券売機の処理は早いので、問題ありません。カードを入れて、画面をタッチすれば、すぐに列車に乗ってハドソン川の下を移動できます。そしてニューアーク・ペン・ステーションからプルデンシャル・センターまで二ブロックほど歩くと、そこはホッケー天国。息子は六歳、その足どりは期待で弾んでいます。

わたしは機械に歩み寄りました。駅まではタクシーを使ったので、時間はたっぷりあります。券売機に表示される画面を何度かタッチして、動きを止めました。

財布はどこだ?

ポケットのなかにはありません。そしてすぐに、どこにあるのか思いあたりました。財布はいま七番街を走っているタクシーの屋根の上、もう二度とお目にかかることはないでしょう。レシートはもらっていませんでした。ペンシルベニア駅の付近には、臨時のATMカードを一〇分で発行してくれるチェース銀行がいくつもありますが、その日は日曜日です。銀行はどこも閉まっています。アメリカン・エキスプレスの番号は覚えていましたが、役に立ちません。クレジットカードを挿入しなければならないからです。

運転免許証も、現金もすべて財布のなかです。クレジットカードを取りに大急ぎで家までもどる? わが家はマンハッタンではなく、遠く離れたブルックリンの川向こうです。ここまで来るのに、すでに四〇分かかっています。このままでは、冬の長い道のりを歩いて帰るしかありません。

妻と息子は立ちつくし、目を見開いて、わたしが解決策を提示するのを待っています。もちろん、わたしには解決策があります。父親ですから。父親というのは、いつだってどうすればいいかわかっているものです。

わたしは右手をジーンズのポケットに突っこみました。やはり空っぽです。尻ポケット、上着のポケット、アイスアリーナで使う毛布を入れたトートバッグ……財布はありません。財布がなければ、わたしは男じゃない。人ですらない。これまで何度、財布をなくしたので「電車賃」をめぐんでほしいとねだる物乞いをやり過ごし、見知らぬ人々を嘲笑したことでしょう。路上詐欺じゃないか、と。

だれも助けてくれない。すべては自分次第で、ポケットは空っぽです。なんのアイデアも浮かびません。小銭すら持っていませんでした。妻はわたしと出かけるときは財布を持たないし、わが家はここからずいぶん遠い。

息子は言いました。「パパ？」

わたしは目を上へ向けました。頭上には蛍光灯があるだけです。何を言えばいいのだろう。さあ、どうする。

あなたは、足元から床が抜け落ちたことがありますか？　挫折や敗北を味わったことがありますか？　何かを奪われたことがありますか？　正直な自分を容赦なく映し出す鏡を突きつけられたことがありますか？　配偶者やパートナーが永久に立ち去ってしまったことはありますか？　そんなとき、あなたはどんなふうに感じますか？

裏切られただけでなく愚直だった。恥をかくだけでなく無力だった。犠牲になっただけでなく踏みつけにされた。穴をあけられただけでなく壊された。そんなとき、人生の土台や、日々踏みしめている床がなくなってしまいます。あなたの存在を取り巻く前提は、もう真実ではありません。

物語の登場人物も同じです。過去は消される。未来は空虚です。登場人物が——だれもが——感じるのは、不安や喪失感、悲しみだけではありません。アイデンティティの終焉です。運命の瞬間というだけでなく、崖っぷちに立たされています。敗北の瞬間は、あとで好転するかもしれませんが、一時的にストーリーの終わりを感じさせます。実際の出来事とは比例しない力を持っています。死の予兆です。

あなたがいま執筆中の小説で、主人公に起こる最悪の事態はなんですか？　最悪の敗北、最終的な敗北はなんですか？　それは終わりの予兆を感じさせるものですか？

シェヴィー・スティーヴンスのデビュー作『扉は今も閉ざされて』（二〇一〇）は痛ましい内容で、そうした場所へ読者を連れていく小説です。カナダの不動産ブローカー、アニー・オサリヴァンは、ある日の仕事終わりにひとりきりになります。そして、彼女が案内していた家に、突然買い手候補が現れ、彼女を拉致します。アニーは一年間、バンクーバー島の人里離れた森の奥にある小さな家に監禁され、恐ろしくよくできた監獄に入れられます。鎖につながれ、飢え、殴られ、何度もレイプされたあげく、アニーは妊娠し、女の子を産みます。赤ん坊はすぐに肺炎にかかり、誘拐犯——アニーはこの男を「サイコ男」と呼んでいます——は治療を拒否します。

『扉は今も閉ざされて』は、アニーが逃亡したのちに、精神科医に宛てた一連の手紙という構成で、アニーは赤ん坊の死をつぎのように語っています。

わたしがあの子につけた名前は、いままでだれにも言わなかったわ――警察にだって。一人きりの時に、声に出そうとしたけど、喉に、わたしの胸に押しこめられたきり出てこなかった。

〈サイコ男〉があの子を抱えて出ていく時、わたしの心も持っていってしまった。死んだ時――もしかして殺された時――あの子は生後わずか四週間だった。たった四週間。短すぎる一生よ。生まれてからよりも、わたしのお腹にいた九カ月のほうが長かった。

あの子と同じ年ごろになった子供の写真を雑誌で見ることがあると、生きていたらあの子もこんなふうかしらと思うの。髪の色は暗い色のままかしら？　目の色は何色だろう？　幸せな子に育っただろうか、それとも、真面目な子だろうか？　それを見ることはできない。

ある晩、あいつがベッドの足元にあの子を抱えてしゃがんでいた姿は、いまでもはっきり憶えている。そして、〝あいつが殺したの？〟と考える。それから、直接手は下さないまでも、あいつはあの子を見殺しにしたんだと思うの。あいつを憎むのは簡単だし、責めるのはもっと簡単。さもなければ、わたしは何度もあの晩のことを思いだしてしまう。わたしが寝かせた時、あの子がどんなふうだったかを。しばらく、あの子は確か仰向けだったから、死んだのはわたしのせいだと思う。きっと肺炎で、よだれを喉に詰まらせたからだと。それから、違う、わたしはうつぶせに寝かせたんだと思うの。そして、五フィートと離れていないところにわたしが寝ていたのに、窒息して死んだのだろうかと思う。母親には、子供の危機がわかるという話を聞いたことがあるわ。でも、わたしにはわからなかった。ねえ、どうしてなのかしら、先生。（小田川佳子訳、早川書房、二〇一一年、二一〇 - 二一一頁）

敗北そのものよりもひどいのは、敗北のなかで無力感を味わうことです。アニー・オサリヴァンは、幼い娘の死をそんなふうに記憶しています（「でも、わたしにはわからなかった」）。極度の無力感と自責の念に駆られ、唯一可能な感情の反応は、無感覚、純粋な虚無です。

しかし、アニーはほんとうの虚しさを感じているのでしょうか。もう一度見てみましょう。作者のスティーヴンスは、この底なしの敗北感を、一連の感情の手がかりで表現しています（「目の色は何色だろう？」）。感情の不在は、逆説的に感情によって伝えられ、敗北感そのものが耐えがたいことから、否定され、より正確に言えば、抑制されます。

大失敗、ぼろ負け、真っ暗な瞬間ももちろんいいのですが、人生と同じように、フィクションにも挑戦、清算、裏切り、挫折、後退、未達成の瞬間があります。そのとき、主人公の自己意識に何が起こるのでしょうか。それぞれの瞬間がきっかけとなります。

先ほどの財布を失くした話で、何がいちばん堪えたかというと、はじめてＮＨＬの試合を観戦することでわくわくしていた息子が、わたしの顔を見て「パパ？」と言った瞬間です。出来事そのもの（財布を失くす）ではなく、失われた無形のもの（子供の父親に対する信頼）にパンチの威力があるのです。いつもなら財布を失くしても、ただ面倒だと思うだけです。この日曜日は——これは実話です——それ以上のものがありました。

息子を失望させてしまう。

父親失格です。

死亡宣告をくだされたも同然でした。

《感情を引き出す技巧　演習問題その15》

失敗と敗北

・原稿の途中へ移動して主人公に目を向けます。挑戦、清算、裏切り、挫折、未達成の瞬間を選びます。

・主人公にとって、この状況で最悪なことはなんですか？　何がそれを耐えがたいものにしているのでしょう。個人的な失敗だと思わせることはなんですか？

・ストーリーをさかのぼってその瞬間を設定し、なぜこの失敗がこれほど堪えるのかを考えます。主人公を頼みに思っているのはだれですか？　だれが失望することになるのでしょう。その失望を与えるうえで最も苦痛な方法はなんですか？

・主人公の成功には何がかかっていますか？　手の届かないところにあるものは何でしょう。それを手放すとどんな感じがしますか（類似の感情を考え出しましょう）。

・その場面で、主人公は代わりに何ができればいいと思っていますか？　何を言いたくても言えないでいるのでしょうか。

・あなたが選んだ場面で、主人公が失敗するときは、ほかの人を巻きこみます。床が落ちるのであれば、人目のあるところで落下させます。

もうひとつ、小さな失敗は小さな死をもたらしますが、小さな勝利ももたらします。あの日曜日のペンシルベニア駅の一件ですが、結局はホッケーの試合に間に合いました。父親はすぐに冷静さを取りもどし、母親はたまたまATMカードを持っていました。その場はなんとかおさまりましたが、あの一瞬は最悪でした。あやうく父親失格になるところでした。

そんなとき、父親はひそかに切り札を用意しているのです。母親という切り札を。

触媒とカタルシス

最近、頭に血がのぼったのはいつですか？　わたしの場合、この質問に答えるのはさほどむずかしくありません――わたしも父親のひとりだとお話ししましたよね。子供たちのしたことに憤慨したとしても、大局的に見れば、その罪はたいてい些細なものです。一年後、わたしはまだ怒っているでしょうか。一〇年後は？

おそらく気にしていないでしょう。

それなのに、ついカッとしてしまいます。

でも、わたしの爆発にはおもしろいところがあって、大噴火を起こすと「家族会議」が開かれるのです。たいていの場合、父母が厳めしい顔つきで話し合うという意味です。子供たちは口数は少ないけれど、悪さをした理由を打ち明けることが多いです。わたしの爆発のおかげで、蓋が開きます。告白、欲求、秘めていた恐怖がつぎつぎと出てきます。悪さをしたわけが理解できるものになり、解決策が持ちあがり、わたしたち一家は何かを成しとげます。

つまり、爆発は真実を解き放つということです。ことばにできずに行動でしか自分を表現できなかった子供たちが、突然、自分のことばを見つけます。爆発は空間をクリアにします。最悪の事態が起こったので、逆説的ではありますが、家族が安全な居場所になりました。爆発が力を与えてくれたわけです。

これはカタルシスの説明としてもあてはまります。カタルシスにはふたつの要素、触媒と結果があり、多くの場合、ポジティブな結果がもたらされます。導火線に火をつけるマッチがあり、爆発のあとに新たな自由が訪れます。

あなたが創作中の作品で、主人公の激しい葛藤があふれ出す触媒となる出来事はなんですか？　主人公はどんなふうに行動しますか？　何が解放されますか？　ほかに影響を受けるのはだれですか？　その結果、どんな変化が起こりますか？

スティーヴン・キングは恐怖小説の第一人者ですが、最近はその枠を超えて、あらゆる感情を体験させてくれる当代屈指のストーリーテラーでもあります。キングの小説『ジョイランド』（二〇一三）は、恋人に振られて落ちこんでいる大学生のデヴィン・ジョーンズが、夏休み中にジョイランドという遊園地でアルバイトをするストーリーです。ジョイランドでは、むかし、幽霊屋敷で起こった殺人事件が尾を引いています。振られた恋人のことが忘れられないまま、デヴィンはジョイランドの園内で係を転々とし、そこで働く人たちの業界用語や言い伝えを学んでいきます。デヴィンの憂鬱な気分を振り払って再起への道を歩ませたのは、アルバイト初日の予想外の出来事でした。その日、デヴィンははじめて遊園地のマスコット、犬のハウイーの着ぐるみを身につけます。現場へ大急ぎで向かう途中で、デヴィンは小さな子供たちが、託児施設「ハウイーのハウディハウス」へ列を成して連れていかれるところを目にします。その間、親たちは園内のAクラスのレストラン「ロック・ロブスター」でランチを楽しむわけです。親と離れればなれになった子供たちは恐怖に怯え、泣いている子もいます。園内のスピーカーからは童謡の「ホーキー・ポーキー」が流れています。

ハウイーのコスチュームに埋もれ、覗き穴のメッシュから様子をうかがいながら、早くも豚のように汗をかいていたぼくは、アメリカならではの児童虐待の現場を目撃している気がした。どうして自分の子どもを――それもよちよち歩きの幼児じゃないか――遊園地という喧騒の場に連れ出し、短い時間とはいえ見知らぬベビーシッターに押しつけたりするんだろう。

（中略）

どうしたものか、ぼくもわからないなりに何かしてみようと思った。両前脚を上げ、尻尾を振りたくりながら（自分で見えたわけではないけれど、そんな感触があった）子供の列に向かって歩いた。最初の二、三人がぼくに気づいて指をさすと同時にインスピレーションが沸いた。音楽だ。ジェリービーン・ロードとキャンディ・ケイン・アベニューが交差する場所で立ち止まると、ちょうどそこが大音量を響かせるスピーカー二台の真下にあたった。脚から毛皮の耳まで、ほぼ七フィートの背丈は相当目立っていたにちがいない。こちらからお辞儀をしてみせると、子どもたちは口をぽかんとあけ、目をまるくした。ぼくは注目を浴びて《ホーキー・ポーキー》を踊りはじめた。

（中略）

ぼくは左足を入れ、左足を出し、左足を入れて揺らした。ホーキー・ポーキーしながらぐるっと回った。なぜって――アメリカの子どもなら、もうみんな知っているように――それだけのことだから。暑さも不快感も忘れていた。尻の割れ目にパンツが食いこむのも気にならなかった。あとから熱で頭痛に襲われることになっても、そのときは平気だった――それどころか、気分は上々だった。つまり、ウェンディ・キーガンのことが一度も頭をよぎらなかったのだ。（土屋晃訳、文藝春秋、二〇一六年、九四－九五頁）

デヴィンは子供たちを恐怖から救い、自分自身のことも失意から救い出します。これがカタルシスの瞬間で、デヴィンはここから前へ進みだすことができます。傷心を捨て去ったデヴィンは、ここから殺人事件の謎を解き、幽霊屋敷で幽霊を目撃し、地元のシングルマザーのアニーと出会うという道を歩きはじめます。アニーの息子マイクは筋ジストロフィーの末期状態で、このさわやかな青春小説を神秘的な恐怖レベルに高める、不気味な予兆を示す登場人物です。着ぐるみを着てホーキー・ポーキーを踊るのがカタルシス？

いけないという手はありません。

スティーヴン・キングは、思いがけない場所でカタルシスを見つけることができます。

《感情を引き出す技巧　演習問題その16》

触媒とカタルシス

・主人公をいら立たせるものはなんですか？　つねに妨げられている内なる欲求とは？　その欲求を強める方法を新たに三つ、その欲求を持つ主人公のことを罰する方法をひとつ考え出します。

・打ちのめされ、倒され、否定され、屈辱を味わった主人公が、あと先を顧みず銃を手にするほど激怒させるものはなんですか？

・主人公が行動に移せる最大の方法は？　何を破壊できますか？　だれを攻撃できますか？　主人公が口にすることで最も憎らしいこと、最も真実味のあることは？　ストーリーのなかで、ほかの人たちは何にショックを受けるでしょうか。

・爆発がおさまった主人公――またはほかの人物――は、それまではできなかったどんなことをできるようになりましたか？　何を言えるようになりましたか？　それを示します。

多くの原稿は、真の意味でのカタルシスに欠けています。恐ろしくて、面倒で、あと始末がたいへんだから、小説家はカタルシスを扱うことに臆病になっているのかもしれません。しかし、実際には、人生においてカタルシスはいつでも、大なり小なり起こっています。カタルシスの瞬間は、呼吸をしたり、洗濯をしたり、大声で泣いたりするのと同じくらい必要なことです。

ストーリーでも同じことが言えます。ですから、どうぞ爆発してください。あるいは、主人公を爆発させてください。すがすがしい気分になること請け合いです。

何も起こっていないときに起こっていること

自宅で祭日のディナーの席についているところを想像してください。真っ白なテーブルクロスに銀食器が用意され、何もかもが完璧です――あなたが赤ワインのグラスを倒してしまうまでは。大慌てで白いナプキンを手に取り、こぼれたワインの上にひろげると、ナプキンにワインの染みができます。

テーブルクロスは、言うなれば記憶です。ナプキンはワインの池を示す地図です。どちらの布にもワインが染みこんでいます。染みは洗濯してもかすかに残り、それを目にするたびに、このときのディナーを思い出します。記憶は布の上に永遠にとどまります。

ひょっとすると、あなたはわたしが知らない洗濯の裏技を知っているかもしれませんね。あるいは、紙のテーブルクロスやナプキンを使っているとか。いずれにせよ、わたしが言いたいことはわかるはずです。赤ワインほど濃い液体を吸水性のよい布に染みこませれば、その痕跡はかすかに残りつづけます。今後も、あの日のディナーで起こったちょっとした災難の記憶で食卓は活気づき、このストーリーは語り継がれていくことでしょう。

小説も同じです。小説は、食事をする機会がたくさんあり、最終的にひとつのストーリーとなるダイニングルームです。そして、どの食事にも先ほどのテーブルクロスとナプキンが使用されます。テーブルクロスとナプキンには、主人公の最大の欲求が染みこんでいると考えてください。その欲求は、たとえテーブルランナーで覆ったり、ナプキンを巧みに折ったりして隠しても存在しています。あなたはそこにあることを知っていて、つねに意識しています。

小説を読んでいて、プロットとは関係ないのにみごとだと思ったシーンはありませんか？ありふれたアクションのなかに登場人物の切なる思いを感じとって、何気ない日常の水面下へ意識が引きこまれることはないですか？ そのようなシーンには、視点人物の根底にある、まだ満たされていない欲求が息づいています。プロットがいったん保留されているときに、こうした欲求が奮闘し、試行錯誤を重ねているのです。

デイヴィッド・レヴィットの小説『数式に憑かれたインドの数学者』（二〇〇七）から例をあげます。小説の舞台は一九一〇年代のケンブリッジ大学、レヴィットが創作した架空の人物G・H・ハーディの物語です。ハーディは三五歳、当代屈指と評される実力を持つ数学者です。一九一三年のある日、ハーディは、マドラスの港湾信託局経理部に勤務する無名の事務員スリニヴァーサ・

ラマヌジャンから手書きの手紙を受けとります。手紙の趣旨はハーディに研究発表の助力を乞うものですが、内容は意味不明なもの、奇妙なもの、そして実にみごとな数式であふれていました。もどかしいことに、証明までは書かれていません。

ハーディと、ときおり研究を共同発表する同僚のリトルウッドは、この手紙にじゅうぶんな手ごたえを感じ、ラマヌジャンをケンブリッジへ呼び寄せて援助することにします。いくつかのハードルはありましたが、ふたりはどうにかそれを実現します。ラマヌジャンは予想とはちがっていただけでなく、数学的に見て明らかに高いレベルに到達していました。ラマヌジャンの思考法は独特で、高等教育を受けておらず、異なる文化背景を持ち、放埒で創意に富んでいます。ドイツとの戦争がはじまり、世の中が大きく混乱しているなか、ハーディはラマヌジャンに惹かれていきます。

　彼［ハーディ］はできるだけラマヌジャンを眺めるよう心がけた。川を前にして立ち、半身が陰になっているラマヌジャン。腕を背中で組み、腹がわずかに突き出たその姿は、ヴィクトリア朝の紳士のシルエットに見えなくもない。黒い紙を切り抜いて白い台紙に貼ったシルエットだ。節度と自制、ある種のよそよそしさ、あるいは、とらえどころのなささえ言ったほうがよいだろうか。ラマヌジャンはこうした性質が際立っている。数学の話をしているとき以外は、話しかけないとめったに口を開かないし、何か訊かれて返す答えは、ほぼ例外なく、あらかじめ仕入れてあったものを漁って取り出したようにハーディには思えた。その答えは、ズボンや靴下、下着を揃えたマドラスの買い物のときに買い求めたにちがいない。「はい、たいへんけっこうです」とか「おかげさまで母も妻も元気です」とか「政局はたしかに複雑です」とか。ラマヌジャンが本心を見せまいと紡ぎ出し、まとっている殻を突き破る手掛かりさえつかめない。ごくまれに、ラマヌジャンは口を滑らすことがある。うろたえたり激したりしたときに、ふとした弾みで漏らした言葉（ホブソン！　ベイカー！）を聞くと、ラマヌジャンの心の謎が、肌の下から勢いよく突き出てこようとしているようにハーディは感じるのだった。

午後のふたりの話題は、たいてい数学だった。（柴田裕之訳、日経BP、二〇〇九年、上巻二七三－二七四頁）

ハーディはなぜラマヌジャンに魅せられ、その不透明な内面をこれほど気にかけるのでしょう。ハーディが生涯かけて取り組んできたリーマン予想をラマヌジャンが証明するかもしれないから？　神秘的でとらえどころがない面や、エキゾチックなインド人に興味があるから？　ハーディには「その気《け》」（同性愛の傾向）があるのですが、かつて好意を寄せたオックスフォード大学のインド人クリケット選手を彷彿させるからでしょうか？

そのいずれか、あるいはすべてかもしれません。しかし、わたしはこんなふうに考えます。ハーディの仕事を理解しているのは、世界でもせいぜい二〇人ほどで、その半分はいまや敵国となったドイツにいます。また、ハーディは同僚とも距離を感じ、半秘密社会の名士や有名人との交流といった社会的なつきあいにも満足していません。つまり、ハーディは孤独なのです。だれかとつながりたいと強く思っています。その切実な思いは明示されていません。ですが、ラマヌジヤンのことをよく観察し、なんとかしてこの男のよそよそしさを打ち破れないかという、ハーディの思いを感じとることができます。

何も起こっていないように見えても、多くのことが起こっているときがあります。表面上は見えないけれど、そこにあるのです。それは、公的ではなく個人的な切迫感であり、主人公を揺さぶる欲求であり、読者に――その人なりの方法で――痛みを引き起こす、感情の疼きです。

《感情を引き出す技巧　演習問題その17》

何も起こっていないときに起こっていること

・主人公の内なる最大の欲求、小説のプロットで満たされることがなくても、主人公の心を占領している欲求を特定します。その欲求を簡潔に表現する文章や短い段落を作成します。

・創作中の作品からシーンをひとつ選びます。劇的な要素を最小限に抑えたシーンにします。コンピューターの画面上に新しい文書を開き、作成した文章を貼りつけます。それが、あなたが選んだシーンの新しいバージョンのオープニングです。

・主人公の意識下にある潜在的な欲求を理解したうえで、シーンを書きなおします。元のバージョンは見返さないようにします。

・リライトの目的は、主人公の根底にある欲求を読者に感じてもらうことです。特に言及したり明示したりしなくても、その欲求を読者が感じとることができると確信するまで書きなおします。

・最後に、シーンのオープニングとして貼りつけた文章へもどり、それを削除します。改めて、このシーンはどんなふう感じられますか？　潜在的な欲求は、明示されなくても感じとることができますか？

シーンの感情のゴール

表面で活発な動きがあるシーンを、その根底にある緊張感に押されて読み進めてしまうことがあります。プロット上の問題が描かれていないにもかかわらず、夢中で読んでいるとしたら、そのシーンの根底にある満たされない感情の欲求、つまり感情のゴールに心をつかまれているのかもしれません。

モリー・グロスの小説『馬から落ちる』（二〇一四／未訳）は、オレゴン州の牧場で働き、ときにはロデオのカウボーイも務める、物怖じしない青年バッド・フレイザーの物語です。一九三八年、一九歳のバッドは、西部劇のスタントライダーの仕事を求めてハリウッド行きのバスに乗りこみます。その隣には、脚本家をめざしてハリウッドへ向かう二一歳のリリー・ショーがすわっています。小説のプロットは、バッドとリリーがハリウッドで過ごす一年間を追いますが、ふたりの関係はこのバスからはじまります。

最初のうちはただの隣り合わせた乗客同士です——遠くへ行ったことのない男女が、人生初の大冒険へ出発します。しかも、ふたりは若く、独身です。読者は何が起こると期待するでしょうか。作者のグロスは、読者の期待をこんなふうに弄びます。

女の子に関して経験豊富ではなかったけど、こんな思いがよぎった。山をながめるふりをしてわたしのことを盗み見てる、わたしのことを可愛いって思ってるのかしらと、彼女が考えているかもしれないって。彼女は、少なくとも当時の自分の基準からすれば、可愛くなかった。濃くて太い眉毛は眉間のところでくっつきそうだったし——まだ眉の手入れをしはじめていなかったのだ——しかもすごく痩せていたので、しわくちゃのワンピースの前部分はぶかぶかだった。ワンピースは鮮やかなグリーンで、オレンジの襟がついていた。似合う子には似合うだろうけど、オレンジ色が顔に反射して、頬の部分がほんのり黄味がかっていた。彼女にはなんの興味もなかったし、はっきりさせておくほうがいいと思った。だからこう言った。「席を変わってくれないかな。外の風景をながめたいんだ」

『馬から落ちる』は、小説中の一連の出来事を数十年後から振り返って語る、フラッシュバック形式の構成です。そのオープニングで、バッドが一年間だけスタントライダーとして活躍し、その後、西部劇の題材を専門に扱う画家になったことが説明されています。リリーは脚本家として大成し、結婚と離婚を繰り返し、恋人とくっついたり離れたり、ハリウッドで赤狩り旋風が吹き荒れた五〇年代にはマッカーシー公聴会で証言し、回顧録を執筆しました。しかし、このバスに乗っている時点のふたりは、互いに対しても、愛に関しても、あらゆることに関して初心者です。さて、読者は何を期待するでしょうか？

この時点で実際に起こることは、恋愛の観点から見れば、何もありません。作者のグロスは読者をからかっているのでしょうか？　バッドはリリーに惹かれていないと思っています。実際、彼女は可愛くないと述べています。グロスは、読者の好奇心を煽っているのでしょうか？　そうかもしれません。しかし、その一方で、バッドには、もっと根本的な、ことばにされていない感情の欲求があると、読者は感じるのではないでしょうか。つまり、バッドは友人がほしいのだ、と。その欲求は、しばらくしてわかるように、車中で満たされはじめます。

リリーはしばらく読書に没頭していた。リリーらしく、緊張していると認めようとしていなかったが、バスはかなりのスピードでカーブの多い道を走っていた。リリーが読んでいた冊子を閉じ、わたしの出身地と行き先を尋ねてきた。おそらく、曲がりくねった道と、バスが峡谷へ落ちるのではという不安をまぎらわすためだろう。それが正しいかどうかはわからない――リリーはのちに別なふうに書いている――だけど、そのときはそう思った。

わたしがカウボーイ映画で働くためにハリウッドへ行くと言うと、リリーは少し元気になった。リリーは、自分もハリウッドへ行って映画の脚本を書く仕事に就くと言った。

俳優なのかと聞かれたので、ただ馬に乗ったりできればと思っているので、それは演技とは言えないと答えた。それでリリーに、当時耳にしていたことを伝えた――その仕事の大部分は、馬で速く走って、撃たれたふりをして馬から落下することだと。リリーは馬に乗ったことはなかったが、カウボーイ映画はたくさん観ていたので、どういうことかは理解した。「じゃあ、悪者につかまった女の子を救出するために、暴走する荷馬車に飛び移ったりするのね」とリリーは言い、「それから、悪者より先に銃を抜いて撃ち落とすとか」と真顔で言った――リリーは辛口のユーモアセンスの持ち主で、冗談を言っていることをけっして悟られまいとした。テストというわけじゃないが、もしこの発言をまともに受け止めていたら、リリーはわたしのことを、相手にするには頭が悪すぎると決めつけたかもしれない。

グロスは読者をじらしているのでしょうか。女の子を救出するというリリーの発言は、何かの予兆にちがいないと考えたくなります。この一節にはさらに、落馬という隠喩や、ハリウッドを夢見る間抜けなカウボーイにすぎないと思われているのではという、バッドの自虐的な疑念もあります。何かが起こっている、でもいったい何が？　ここで起こっているのは、つながりと友情の芽生えで、この時点のバッドとリリーにとって何よりも必要なものです。

バッドは、自分にどんな感情の欲求があるのか語りませんし、グロスもそれを容易には明かしません。それでも、主人公の切実な思いは明白です。この時点では、バッドとリリーの関係がどう転ぶかはわかりませんが、夢を追うこのふたりがつながり、支え合っていくことを読者は期待しますし、実際に何年も支え合うことになります。バッドの感情のゴールは友人を見つけることであり、抑制されながらも心あたたまるこのオープニングで、その目的を成しとげます。

古典的なシーン構成の公式では、まず主人公の目標を設定します。主人公が手に入れたいもの、やりたいこと、発見したいこと、避けたいことは、表向きの目標、つまりその場面の目に見える目標ですが、それと同じくらい重要なのが、主人公の見えない目標、つまり主人公の心にとって重要な感情のゴールです。場合によっては、それが唯一の目標になることもあります。

《感情を引き出す技巧　演習問題その18》

シーンの感情のゴール

・あなたがいま書いているシーンを見てみましょう。視点人物はだれですか？　ストーリーのいまこの瞬間に、その人物がすること、得ること、探し求めること、避けることはなんですか？　これを一般にシーンの目標と呼びます。

・フォーカスを移します。視点人物が心のなかで求めているものはなんでしょう。何を感じたいと思っていますか？　それが感情のゴールです。

・シーンのなかで、その人物を感情のゴールへ近づけたり遠ざけたりしているものはなんですか？　感情のゴールに到達することを阻むものとは？　その人物は、起こっていることにもかかわらず、どうやって感情のゴールに到達しようとしますか？

・それに加えて、なぜその人物は自分の感情のゴールを恐れているのでしょうか。それを覆す、あるいは避けるために、何ができますか？　逆に、なぜ感情のゴールはこれほどまでに重要なのでしょう。これをさらに重要にするには、どんなことができますか？

・シーンのなかで、その人物は感情のゴールを失うこと、あるいは得ることに、どうやって折り合いをつけるのでしょう。それに代わるものはなんですか？　つぎに何が来ますか？　シーンの結果は、当初期待されていたものより満足できるもの、あるいは受け入れがたいものですか？

・最後に、作成した素材を使って、シーンにおける登場人物の内面の状態を伝える文章や、それを示すアクションを作成します。このシーンのポイントは、物語の外側の状況を変化させるのと同じくらい動的な、内側の「わたし」をとらえることです。

感情のブレークスルー
——現実的になる

ここで、ことばにされない欲求の反対、突然現実的になることを考えてみましょう。

友人との会話で、「あなたが言わんとすることはわかる」と言ったことがありますか？　社会的な場面や仕事で、「ここで何が起こっているかわかっている」と思ったことは？　だれかを罵倒したことがありますか？　でたらめな話を遮って、ありのままをぶちまけたことがありますか？

もしあるなら、表面上の出来事とその裏側で起こっていることがかならずしも一致しないことは知っているでしょう。人と人との関わりは、何層にも重なっています。ダンキンドーナツの店頭でフレンチ・クルーラーを注文する人が、支払い時にちらりと見せるアメリカン・エキスプレスのプラチナカードは、ステータスの主張です。そのダンキンドーナツの客の立ち往生したＢＭＷを、ほんの二〇〇メートル先のガレージまで運ぶために現金二〇〇ドルを要求する行為も、逆の立場からの主張です。人々は地位を主張し合って楽しんでいるのです。

表出しない欲求の流れをシーンに盛りこむのは強力な手立てですが、ある場面に潜在する本質的な欲求や現実が表面化する瞬間も威力があります。呼びかける、雑念を断ち切る、仮面を剥ぐ、告白する、本題にはいる、ありのままを伝える。策略を一掃し、ふだんは見まいとする生々しい現実と向き合うことで、力と感情の効果が生まれます。

現実的になるときというのは、シーンのサブテキストがはじけた瞬間です。突然のトーンの変化、思いがけない開放感、挑戦、力の誇示、突然の軟化、同情の懇願など。純粋に、誠実になることは、感動を呼び、感情をかき立てます。人は軽々しく本性を見せたりはしません。本音を語ることは危険をともないます。登場人物が正直になったり、謙虚になったりした瞬間、読者もまた、偽りをやめ、演技をやめ、ほんとうの自分を見せ、現実的にならざるをえなかった瞬間を思い起こすのです。

現実的になることは、恐ろしくもあり、新鮮でもあり、小説のほぼどの時点でも起こりえます。というのも、登場人物は互いに、読者に、さらには作者のあなたにも、ほぼつねに自分を隠しているからです。もし、登場人物が何を隠しているのかわからず、何が飛び出してくるのかさだかでない場合は、「おい、少しは現実を見たらどうだ」と迫るといいでしょう。内面で沸き返っているものが蒸気となり、その蒸気がタービンをまわし、電力を発生させます。登場人物が突然現実的になったとき、読者は登場人物と心をかよわせ、安堵とともに自分自身の仮面がはがれるのを感じます。

クリスティン・ハナの『ナイチンゲール』（二〇一五）は、第二次世界大戦下を舞台にしたフランス人姉妹の話です。レジスタンスに参加する妹と、田舎に留まり、別の手段で戦わなければならない姉。家に残る姉のヴィアンヌ・モーリヤックは、動員された夫に別れを告げなければならず、幼なじみのラシェル・ドゥ・シャンプランのもとに身を寄せます。ふたりは新しい状況を巧みに利用しながらふだんどおりにおしゃべりしようとしますが、時代の緊張感が伝わってきます。

ラシェルは赤ん坊を肩にもたせるように抱き、背中を叩いてあやした。「マルクはおむつを替えるのが下手くそでね。この子ったら、あたしたちのベッドで寝たがるの。これからは、余計な気を遣わずにすむ」

ヴィアンヌは思わずほほえんだ。ささいなことだが、冗談を言えるのはありがたい。「アントワーヌはいびきがひどくて。これからはぐっすり眠れるわ」

「夕食はポーチドエッグですませられるしね」

「洗濯物も半分になる」ヴィアンヌの声が震えた。「わたし、そんなに強くない、ラシェル」

「あなたは強いわよ。一緒に頑張って乗り越えましょう」

「アントワーヌに出会う前……」

ラシェルが、だめだめ、と言うように手を振った。「わかってるから。あなたは小枝みたいに細くて、緊張するとどもってた。いろんなもののアレルギーだった。わかってる。あたし、その場にいたもの。でも、いまはもうそうじゃないでしょ。強くならないとね。どうしてだかわかる？」

「どうして？」

ラシェルの笑顔が消えた。「あたしはたしかに体がでかい――均整がとれてるって言われるけどね、ブラジャーやストッキングを売りつけられるときは――だけど、今度ばかりはまいってるのよ、ヴィー。あなたに寄り掛かりたくなることがあると思う。でも、全体重をかけたりしないから、心配しないで」。

「つまり、共倒れになれない。どっちかがしっかりしてないと」

「そのとおり《ヴォアラ》。そういう方針でいくからね。さて、コニャックにする？　それともジン？」

（加藤洋子訳、小学館、二〇一六年、上巻二八－二九頁）

「わたし、そんなに強くない」。これは悲痛な告白であり、不安であり、伏線でもあります。また、ふたりがじきに知ることになる恐ろしい現実に一歩近づくことでもあります。読者はヴィアンヌを受け入れ、その心境に思いを馳せます――あるいは、ふたりの思いが読者の心に届くのでしょうか。いずれにしても、迫りくる戦争の重圧を感じます。

《感情を引き出す技巧　演習問題その19》

現実的になる

・原稿のどの時点でもかまわないので止まります。視点人物はだれですか？　ニューヨーク市警さながらにその人物に声をかけます。「止まれ！　何をやっている。何が起こっているんだ。さあ、話せ！」

・原稿の別の場所で止まります。視点人物はだれですか？　マザー・テレサになったつもりでその人物に尋ねます。「わが子よ、あなたは苦しんでいます。天の父はすべてを理解し、赦してくださいます。何があなたを苦しめているのか教えてください。何が必要ですか？　何を告白したいのですか？」

・さらに別の場所で止まります。視点人物はだれですか？　劇作家のオスカー・ワイルドや舌鋒《ぜっぽう》鋭い批評家になりきって、辛辣な真実、痛烈な皮肉など、その人物の心理的なみぞおちにストレートパンチをお見舞いします。

・さらに別の場所で止まります。視点人物はだれですか？　デルポイの巫女になったつもりで、その人物に神託を告げます。「己の運命を知りたいか？　教えて進ぜよう。だが用心せよ。それが喜ばしいものであれば、油断するなかれ。それが不愉快なものであれば、歓喜せよ。心の準備はいいか？　そなたの未来は……」
・霧を貫き、策略を打ち破って、突然現実的になるためには、これらから導き出された回答をどんなふうに使うことができますか？

感情のプロットは、あらすじに登場せず、パブリッシャーズ・ウィークリー誌のレビューでも解説されません。その葛藤を確認するのは容易ではなく、そのシーンは目に見えません。現実的になる瞬間は、感情のシーンの転換点となるものです。読者の期待を裏切り、ビルの解体さながらにシーンを崩壊させるか、運河の閘門《こうもん》がはしけを持ちあげるように、さらなる高みへ引きあげます。

感情の崩壊や高揚を感じとると、読者はプロットとはまったく関係ない奮闘の真っただ中にいることに気づきます。これは、自分に嘘をつきとおすため、真実から目を反らすため、そして最終的に、他人や自分自身を永遠に欺くことは不可能だと発見するための、登場人物の奮闘です。遅かれ早かれ、だれもが現実を見なければなりません。その突然の正直さが、感情のプロットの第一歩であり、読者の心をつかむ葛藤です。

プロットのない小説のプロットを立てる

小説を読んでいていらいらしたことはありませんか？　何か起こらないかなと思いながら、ページを早送りしたことは？　もちろんありますよね。だれでもそんな経験があるはずです。丁寧に言えば、いら立ちを感じているということで、平たく言えば、退屈だということです。

おそらく、いま執筆中の原稿にも、いらいらする個所があることでしょう。劇的な展開が思い浮かばずに苦労したシーンは？　大混乱の渦中にいるのに、主人公がやるべきことがなくて手持ち無沙汰？　四〇〇ページもの長いあいだ読者を魅了しつづけるには、美しい文章だけではだめかもしれないと、ひそかに心配していませんか？

こうしたことに心あたりがあるなら、残念なお知らせです。読者もいらいらした気持ちになるでしょう。大したことが起こらず、不十分なのです。では、どうすればいいのでしょう。特に、そもそもプロットがない小説の場合、どうやってプロットを立てればいいのでしょうか？

それに、公式をあてはめることとはまるで反対の、探索的なストーリーにも効く錬金術などあるのでしょうか。プロットがない小説を書こうとしている人は、古典や現代文学の成功例を考えると、挫折感が増しかねません。ヴァージニア・ウルフの『灯台へ』（一九二七）、シルヴィア・プラスの『ベル・ジャー』（一九六三）、カズオ・イシグロの『日の名残り』（一九八九）、ゼイディー・

スミスの『ホワイト・ティース』（二〇〇〇）。考えてみてください、これらの小説のなかで、実際に何が起こるのでしょう。何も起こらないと言ってもいいくらいなのに、なぜかあらゆることが起こっているように思えます。

人間のありさまを描くことは悪くありません。行き詰まっている人物を緻密に描写してもいいのです。『キャッチャー・イン・ザ・ライ』（一九五一）のホールデン・コールフィールド、『キャッチ＝22』（一九六一）のジョン・ヨサリアン、『グレート・ギャツビー』のジェイ・ギャツビー、そして『風と共に去りぬ』のスカーレット・オハラもこれにあてはまります。つまり、だれもほしいものを手に入れません。それなのに、作者のサリンジャー、ヘラー、フィッツジェラルド、ミッチェルは、これを軽々とやってのけているように思えます。幸いなことに、プロットがない小説のプロットを立てる方法はあります。それは、アウトラインを作成することではなく、「冒険」、「世界を救う」、「フーダニット（「犯人はだれか？」という謎に焦点をあてた推理小説のいちジャンル）」、「愛はすべてに打ち勝つ」などの、ありふれた仕掛けに頼ることでもないのです。

まずはページを書き進める手を止めて、主人公について自問する必要があります。最初に認識してほしいのは、プロットがない小説は、ストーリーの長さを維持しながら、すべてのシーンでなんらかの緊張感を保たないといけないということです。また、プロットがない小説を書く場合、行き詰まっている、身動きできない、挫折している、困惑している、さまよっている、途方に暮れているなどの理由で、満たされず幸せになれない主人公に取り組むことになるでしょう。

動きのない登場人物は、難物です。油断しているとすぐ受け身になります。行動するより反応します。弱くて、主体性（行動力）がない登場人物は、読んでいて気が滅入ります。では、退治すべき悪魔も、解決すべき殺人も、救うべき故郷もない場合はどうすればいいのでしょう。行き詰まり、ふさぎこみ、困惑し、途方に暮れ、さまよっている主人公は何をするべきでしょうか。

行き詰まっている以外に主人公が問題をかかえていない場合、行き詰まりを解消するようなアクションが必要です。プロットがない小説に物語上の緊張感を与えるには、何かを成しとげるのではなく、何かを変化させる必要があります。世界を救うのではなく、自己を変革します。

外側の出来事はきっかけになりますが、変革そのものは内面で起こります。これがまぎらわしい点です。変化には触媒が必要です。また実生活においても、変化は周囲から見て明らかです。変化すると、ふるまいが変わります。この「ふるまい」ということばに注目してください。これは、目に見える行動であり、耳に聞こえることばであり、そして進捗を計測できる対象という意味です。

内面だけで起こる変化は、ほんとうの変化ではありません。変化というものは、それを表に出して、これまでとはちがった仕方で他者や世界とやりとりすることで、はじめて意味を持ちます。変化しようと思い、リハーサルし、テストし、実行に移す。これは能動的なプロセスです。小説の世界でも同じことが言えます。

変化のパターンは、抵抗する思いが積もってやがて爆発するようなゆっくりしたものもあれば、別のパターンもあります。たとえば、ちがう生き方をしようと決心して考え抜いた計画だったり（失敗するのが落ちです）、他者に投影される葛藤だったり、主人公に成長を強いる破壊的な力だったりします。作家は変化を一度きりの出来事と考えがちですが、その奮闘が長きにわたると、変化は絶大な効果を発揮します。実生活でもそうですよね？　わたしたちは日々、自分のことを少しずつ理解して変化しています。登場人物もシーンごとに少しずつ変化していけないことはありません。

お勧めの手法は、読者のいらいらする気持ちを利用することです。考えてみると、いらいらという気持ちには、「何か起こらないか」だけではなく、ことばにならない、つぎのような問いかけも表れています。

・なぜ主人公は、さっさとほしいものを手に入れないのか
・なぜそれを言ってしまわないのか
・なぜ立ち去るかやめるかできないのか
・なぜすぐに変化できないのか
・いや、ほんとうに、なぜ？

では、これらの疑問を二通りの文脈に作り変えてみましょう。まず、あなたの原稿全体に対して、疑問をつぎのように言い換えてください。

・ほしいものを手に入れるために、主人公が実行できる一大事とは何か
・内なる葛藤が口にされる前に起こるべき一大事とは何か
・だれが（何がではなく）積極的に主人公を阻害しているのか
・主人公は変化できる。だがその前に、何を経験しなければならないのか

これらの質問に答えることで、主人公が実行するべきこと、つまり、目に見える実際の行為を導き出すことができます。主人公が対立する人物、または主人公が何かを得なければならない人物がわかります。また、行くべき場所、完了するべきプロジェクト、避けるべき災難、追いかけるべき人、あるいは内なる奮闘を示す象徴的な行為を考えることができます。変化は簡単ではありません。簡単だとしたら、最初にあげた一連の疑問は生じず、小説も存在しないでしょう。

そして、幸運なことに、変化は困難です。主人公は変化するためにいろいろ経験しなければなりません。その「いろいろ」が出来事を作りあげ、出来事によってストーリーが成立します。その「いろいろ」を、要約したり、煮詰めたり、一大事を中心に展開させたりすれば、それが前提となり、プロットがない小説の枠組みとなります。さらには、レビューで解説される行動――球技、戦闘、大騒ぎ、事業、功績、遠征、行為、偉業、妙技、危険、試練、口論、衝突、クーデター、聖戦、冒険、攻撃、情熱、賭けなど――となり、あなたの小説を読んだ映画プロデューサーが、情景を思い浮かべるようになるでしょう。

枠組みが決まるのはいいことですが、まだ長い中盤が控えています。二〇以上のシーンを深め、発展させ、複雑にしないといけません。それをどうやって能動的にすればいいのでしょう。簡単です。先ほどの質問に、あるキーワードを加えるだけです。

・ほしいものを手に入れるために、主人公がいままさに実行できる一大事とは何か
・葛藤を口に出すうえで、いままさに何が邪魔になっているか

・だれがいままさにどうやって積極的に主人公を阻害しているか
・主人公がいままさに自分自身を避けている理由は何か

ある意味、どのシーンを選んで書くかは重要ではありません。どのシーンにも、これらの問いに対する答えが埋まっています。そのあとは、答えを実現し、見せ、ドラマ化し、表出させるために、何が起こりうるかを考えます。かならず何かが起こります。ただ理由を特定するだけでいいのです。

《感情を引き出す技巧　演習問題その20》

プロットのない小説のプロットを立てる

・小説で設定した時間軸で、主人公の経験全般を考え、四つの大きな問いを立てます。
1　ほしいものを手に入れるために、主人公が実行できる一大事とは何か
2　内なる葛藤が口にされる前に起こるべき一大事とは何か
3　だれが（何がではなく）積極的に主人公を阻害しているのか
4　主人公は変化できる。だがその前に、何を経験しなければならないのか
・答え合わせをしましょう。主人公が実行できることのうち、主人公を妨げているものはなんですか？　通過するものがテストであれ、試練であれ、経験であれ、最大の障害はなん

ですか？　いちばん困難なのは？　最も要求が多いのは？　内面の問題を最もかき乱すのは？

・そのなかのひとつの要素に集中し、抽出します。そして、より大きく、よりカラフルに、より珍しく、より非凡なものにします。ひねったりひっくり返したりして、読者が期待するものとは別のものにするか、まったく反対のものにします。

・その要素を主人公の経験の核とするにはどうしたらいいですか？　それを、問題や葛藤、あるいは何かをめざす旅として明白にします。あなたの小説にはたくさんのことが書いてあるかもしれませんが、端的に言えば、この要素――そしてこのように表現したもの――が前提になります。

・原稿の各シーンについて、四つの大きな問いを立てます。

1　ほしいものを手に入れるために、主人公がいままさに実行できる一大事とは何か
2　葛藤を口に出すうえで、いままさに何が邪魔になっているか
3　だれがいままさにどうやって積極的に主人公を阻害しているか
4　主人公がいままさに自分自身を避けている理由は何か

・主人公がいままさに実行できることが、シーンの目的です。邪魔をしているものが、シーンの葛藤です。主人公を阻んでいる人物が、シーンの敵対者です。自分自身を避けている理由が、シーンの内なる葛藤です。

・この目的の意図を明確にします。葛藤をより複雑にします。敵対者を毅然とした賢い人物にして、主人公よりも強力で、正義感が強く、機知に富むようにします。内なる葛藤に決

着をつけることを不可能にします。主人公がそのシーンを切り抜けるのが、きわめて困難になるようにします。

・これらがしかるべき場所におさまれば、目的、障害物、敵対者、内なる葛藤など、シーンの基本的な構造ができあがります。

プロットのない小説が成功するのは、美しい文章のおかげだと考えたり、想像したりしたくなります。作者は、何もないところから小説を生み出す魔法を発見したか、持って生まれたと信じたいのです。

たしかに、ことばづかいだけで読者にある種の緊張感を与え、不安な気持ちにさせることは可能です。しかし、その緊張は一瞬であり、四〇〇ページにわたって持続させることはほとんど不可能です。美しい文章が作者の最大の価値であり売りものである小説では、登場人物は反応しがちです。反応を生き生きとした読みものにすることは可能ですが、やはり読者にとっては味気なく、読んでいるうちに、鮮烈なもの、能動的なもの、変化するものへの飢餓感が生まれます。

何か印象深いものに出会ったとき、わたしたちは実際に強く感じています。何かにものすごく熱くなったとき、態度に表れます。登場人物も同じです。ただ、その度合いはさらに強くなります。あなたやわたしがぎょっとするとき、彼らは仰天します。あなたやわたしが苦しむことに、彼らは耐えられません。わたしたちにとって謎めいたことは、彼らにとっては使命です。人生がわたしたちに投げかけることを、彼らは投げ返します。わたしたちには夢があり、彼らには運命があります。
だからあなたは彼らのことを書くのです。

読者の地図

では、プロットがない小説の場合、読者はどうやってストーリーの進み具合を判断すればよいのでしょう。目に見えるゴールなしに、どの方向へ進むべきか、どこまで来たか、どうやってわかるのでしょうか？　目的地はどこでしょう。プロットがないのに、読者は迷子にならないのでしょうか。

作家は迷子になりませんか？

読者には地図が必要です。善と悪を示すガイドが必要です。登場人物のほしいもの、心配ごと、進歩、何を重要だと考えているかなどを測るための心のグラフが必要です。読者には、それを指し示すコンパス、道しるべ、到達すべきマイルストーン、それとあなたが創造したものに感服してもらうために、物語の世界を見渡せる展望台が必要です。一本一本の木だけでなく、森全体を理解しなければなりません。

また一方で、木も重要です。木には道しるべが打ちつけられていて、ストーリーの節目ごとに見つけることができ、ひとつひとつ異なります。道しるべを見つけると、ストーリーの地図上のある地点に到達したことがわかります。それをつなぎ合わせると、一本の道筋になります。その道筋が到達したい目的地や結果につながるわけです。これは特に、プロットの道しるべが明らかではない場合に重要です。

そうは言っても、小説を文字どおり地図にしたり、回路図のように展開したりするわけではありません。書く人にとっても、読む人にとっても、地図ばかり見ていては、道のりの楽しみを見逃すはめになり、道しるべだけを見ていては、地図の壮大さがわかりません。理想的なのは、理由はわからないのにストーリーが進行していく感覚を読者が味わえることです。図面を開いていくように道筋を感じ、またいつ予想からはずれてもおかしくないような気がする、そんなストーリーであれば完璧です。

この問題に直面しているのが、チャーリー・N・ホームバーグの歴史ファンタジー『紙の魔術師』（二〇一四）で、異世界のロンドンにあるタジス・プラフ魔術師養成学院を卒業したばかりのシオニー・トゥイルの物語です。シオニーは強力な精錬師の見習いになることを夢見ていましたが、代わりに、いちばん弱い、華やかさもなく、最もはかない芸術の、紙の折り師に指定されます。紙との結合式を済ませてしまえば、それが生涯を通じて使える唯一の魔法となるので、シオニーは当然、おもしろくありません。

シオニーは、驚くほど若く、陽気で、才能に恵まれた紙の魔術師、エメリー・セインのもとで修行することになります。この小説の大部分は、シオニーの紙の魔法の見習い期間を扱っています。作者のホームバーグは、このなかからプロットを考え出さなければなりません。もちろん、シオニーの紙の魔術に対する偏見は克服するべきですし、師匠のセインは暗い秘密をかかえていて、小説の後半では危険な救出劇へと発展していきます。それでも、プロットの要素は豊富とは言えません。では、ホームバーグはどうやってストーリーが進行している感覚を読者に伝えるのでしょうか。シオニーの内なる旅――紙の魔法は想像していた以上に興味深いと発見するだけでなく、その思い入れの高まり、セインに傾倒していく気持ち――と、いま起こっていることは重要だということを、読者はどうやって知るのでしょうか？

セインは指導者であり、その役割が読者にとって大いに助けとなります。シオニーは、セインのもとで学び、紙の魔術に関心を持つようになっただけでなく、談話室の余興程度に思っていたこの魔術の意味を理解するようになります（セインの談話室は実に愉快なのですが）。シオニーは、『ゆうかんなピップのぼうけん』という絵本にはじめて命を吹きこみ、空中に幽霊のような映像を浮かべたとき、驚きながらもまだ否定的でした。

喉に言葉が詰まる。「な、なに？　わたしがこれをやったの？」

「ああ」セイン師は応じた。「絵本のように挿絵が見えれば助けになるが、最終的には、望めば小説を読んでその場面を目の前に展開することができるようになる。正直なところ感心した――まず実際にやってみせなければならないだろうと思っていた。きみはすでにこの物語になじみがあるようだ」

シオニーはまたもや赤くなった。褒められたからでもあり、個人的には子どもっぽいと思うものを読んだことがあると指摘されたせいでもある。ぼんやりとした映像は、読まれない物語の常として、そのあとほんの一瞬続いただけで薄れていった。

シオニーは本を閉じて新しい師匠をちらりと見た。「これは……すばらしいですけど、表面的でもあると思います。美しいだけというか」

「だが、楽しめる」セイン師は切り返した。「決して娯楽の価値を否定しないことだ、シオニー。上質な娯楽はただでは得られないし、誰もが求めるものでもある」(原島文世訳、早川書房、二〇一七年、四六-四七頁)

シオニーは修行を通して紙の魔術に対する考えを深めていき、それとともにシオニーのストーリーも深まっていきます。シオニーがたどる内面の旅のステージは、技術の上達ではなく、理解の深まりで示されます。作者のホームバーグは内なる旅を段階に分け、選択し、しるしをつけ、読者が測定しながら読み進められるように、細心の注意を払っています。

《感情を引き出す技巧　演習問題その21》

読者の地図

・ストーリーの結末で、主人公がたどり着く目的地はどこか、またその目的地にすでにいる人物はだれですか?　そこからさかのぼります。書き出しで、その人物からメッセージを送ります。
・結末で、主人公は何を手に入れますか?　そこからさかのぼり、書き出しで、主人公に少しだけ味見させます。
・結末で、この旅で何に驚いたか主人公に尋ねます。そこからさかのぼり、書き出しで、それが主人公に起こらない世界にします。

- 結末で、いちばん傷ついたことは何かと主人公に尋ねます。そこからさかのぼり、書き出しで、主人公はその手のことに特に傷つきやすいとほのめかします。
- 結末で、主人公はどんな人物になりますか？　そこからさかのぼり、書き出しで、誤解を招くような別の願望を目標として設定します。
- 現在のシーンで、視点人物にとって大きな意味を持つ、設定の些細なディテールとはなんですか？　手を止めてよく考えるようにします。
- ストーリーからランダムに場面を選びます。主人公の内面はどんな状態ですか？　それを物理的な場所としてとらえ、文章にします。
- 旅のどの時点で地図がなくなりますか？　その瞬間を特定し、選択肢も、迂回路も、助ける手立てもなくなるまで取り組みます。そのときこそ、主人公はほんとうに、すっかり途方に暮れています。
- すべての旅にはコンパスがあります。主人公が目的地に到達するために必要な内なるコンパスはなんですか？　主人公にとって、そのコンパスはぜったいに見つけられないのに、実はポケットのなかにあるようにします。

旅には、地図だけでも道筋だけでもなく、その両方があります。登場人物には経験するべきことがたくさんありますが、ストーリーをどんなふうに経験するのかということも重要です。主人

公の内側にある地図はなんですか？　内なる旅の進み具合は、外側の目標との距離ではなく、旅の一歩一歩を深く掘りさげていくことで計測されます。ある場面に留まるために足どりをゆるめれば、読者は逆に、ストーリーを駆り立てる力が速まったように感じるでしょう。

別の言い方をすれば、主人公が途方に暮れたり、さまよったり、意味を考えたり、自己を研究したりすることに時間をとれば、どこかへ到達したい欲求が高まり、その先に目的地が控えていると思うようになります。旅そのものに価値があればあるほど、その成果の価値も増します。早く結末が知りたい、でも終わってほしくない、わたしたちはそんなストーリーを読むのが大好きです。この二分した感情を、あなたの小説でも感じてほしいはずです。読者の地図の手法を応用することで、その効果を得ることができます。

ほんとうのエンディング

ロマンス作家には、エンディングを表す「HEA」という略語があります。HEAは、Happily Ever After（「それからずっと幸せに暮らしました」の意味）の頭文字をとったものです。ヒーローとヒロインが結ばれる。悩みは解決する。結婚式を挙げ、誓いのことばを交わせば、もう深刻な葛藤はありません。一方、スリラー作家は世界を救います。ミステリー作家は正義を実行します。ファンタジー作家は冒険を終えます。ウィメンズ・フィクションの作家は、ヒロインに円満と癒しをもたらします。読者が求めるのは物事がうまくいくことだけですよね？　うまくいけば、物語は終わりです。

そうですよね？

でも、実際は、そういうわけにいきません。

人間に平和をもたらすものはなんでしょう。永遠につづく心からの満足感、充実、幸福、達成感でしょうか？　自己を受け入れることもそのひとつです。それが内なる旅の役割です。問題を解決することは、内面の変化と一致します。内なる奮闘が終わり、新しい自分に生まれ変わります。プロット上の問題が解決されるだけでなく、主人公の内なる旅は円満に完結します。しかし、それはほんとうの平和の一部でしかないのです。プロットの解決と個人の成長の先にあるものは何かというと、世界を癒すことです。

ひとりひとりがほんとうの意味で平和であるためには、ほかの人たちも同じように平和でないといけません。だからこそ、わたしたちはチャリティのために一〇セント硬貨を段ボール箱に入れ、道路のゴミを拾い、教会の委員を務め、ワシントンで行進し、重要な問題についてブログを書き、喧嘩を仲裁し、恵まれない子供たちに靴を買い、貧困にあえぐペルーの子供たちのスポンサーになり、祈り、病気に立ち向かうためにウォーキング運動に参加し、月面を歩くわけです。問題を気にかけるだけでなく、それについて行動を起こし、変化を生み出すまで、平和であるとは言えません。わたしたちは世界市民です。

よりよい世界になれば、わたしたちはよりよい人間になります。満足感は深まり、満足は希望へ変わり、死への恐怖は薄れていきます。ストーリーで言えば、主人公が幸せになるＨＥＡで終わるのではなく、その世界にいる全員が平和だとわかったときに終わるということです。

第四章で、Ｍ・Ｒ・ケアリーの『パンドラの少女』を紹介しましたが、これは実験施設ホテル・エコーに閉じこめられた「餓えた奴ら」（ゾンビ）の仲間である一〇歳の少女の物語です。施設の子供たちは、どの程度の学習能力があるかを測定するために、勉強を教わります（実のところとても優秀です）。この小説のヒロインが慕う特別な教師、ヘレン・ジャスティノーがいます。ヘレンは子供たちを実験用のマウスとしてではなく、ふつうの子供として扱います。子供たちに物語を読み聞かせ、フルートを演奏します。小説の終わりで、大人の人間のほとんどは、それ相応の運命をたどりますが、ヘレンは生き延びます。そして、生きることを認められたヘレンは何をするのでしょうか。小説は、環境保護スーツを着こんで完全防備したヘレンが、若い「餓えた奴ら」にアルファベットを教えているシーンで幕を閉じます。

ここで《感情を引き出す技巧》の演習問題を紹介してもいいのですが、どうすればいいかはもうわかっていますよね。人間の最高の善は、幸せを得ることではなく、お返しをすることです。幸せは、笑顔と心の喜びをもたらしますが、無償の行為は、歓喜の涙と尽きることのない感謝をもたらします。ですから、こんなふうに考えてください。主人公に世界――あなたの小説の世界――を変えさせると、読者の世界も変えることになる、と。

第 6 章

読者の心の旅

The READER'S EMOTIONAL Journey

人生には、涙を流さずにはいられない瞬間があります。卒業、故郷からの旅立ち、別離、結婚の誓い、空港での別れ、ペットの死。人生に移り変わりはつきものです。愛する人との長い付き合いに終わりが来る。幸せだった大切な時間が終わる。離れることが必要であり、そのほうがよいのだとしても、簡単ではありません。すべてが変わっていきます。美しく、かけがえのないものにも、色あせるときが来ます。

怒りを覚えずにはいられないときもあります。子供がいじめにあった。パートナーの浮気や、それについての嘘。詐欺にあった。狡猾な同僚が不相応な昇進をした。不当な交通違反切符を切られた。不正がまかりとおり、罪のない人間が苦難を味わう場面です。

恐怖を感じる場面もさまざまあります。凍結した路面で車がスピンした。人員削減をする日に上司に呼び出された。大至急主治医に連絡するようにという留守番電話のメッセージ。見知らぬ街で道に迷ったとき。ドアを叩く音。真っ暗なガレージ。不法侵入者がいるらしき物音。

涙、怒り、恐怖は強い感情ですが、こうした感情は、なんの前触れもなく生まれることはありません。条件がそろったときに生まれ、別の感情もともないます。悲しみが最も強くなるのは、幸せが終わるときです。別れが痛切なものになるのは、感謝の気持ちと結びついたときです。無力感にとらわれるとき、怒りは大きくなります。恐怖が最大となるのは、ハンマーが振りおろされるときではなく、その一撃を予感してしているときです。

大きな感情的経験は、状況によって作り出されます。しかるべき要因がそろったとき、わたしたちは泣いたり、こぶしを叩きつけたり、叫んだりせずにはいられません。何がそのような感情をかき立てるのかがわかっているのですから、小説で生かさない手はありません。読者の感情を大きく動かすことができる状況を作り出しましょう。

読者の感情をあやつるのは後ろめたいですか？　そう思う必要はありません。ストーリーはわたしたちの心を動かすことを意図しています。ニュース番組は、衝撃を与えるために現実を脚色します。広告は恐怖心をあおり、弱みにつけこみます。政治家や牧師はわたしたちの信念を肯定し、よりよい世界への憧れをいだかせます。わたしたちの気持ちはつねにストーリーの影響を受けているのですから、同じ手段を読者に使ってみましょう。あなたの目的は読者の心を揺さぶることです。

繰り返しになりますが、読者が小説を手にするのは、感動を求めているからこそです。ストーリーの世界に浸りたい、小説を読んで変わりたいと思うからです。ストーリーを書きあげてから、読者が感動してくれるように祈りますか。それとも、ぜったいに感動させられるようにストーリーを作りあげますか。

考えるまでもありませんね。

それでは、読者の感情に訴えるための方法をすでにあるものからいくつか見ていきましょう。そのなかには、読者の心をとらえ、何度も読み返したくさせるだけでなく、あなたのストーリーのねらいを伝えるのに役立つものもあります。ストーリーのねらいそのものは、いまのところ重要ではありません。重要なのは、読者が心を開いて、あなたのねらいを受け入れるかどうかです。それは読者をあやつることだと思うかもしれませんが、あなたの主張が正しければ、手段は正当化されるでしょう。

感情が高まるとき

ストーリーの出来事のなかには、感情が高まるときを生み出すものがあると書いてきました。それは読者の心を揺さぶる瞬間であり、ずっと忘れられないものです。心を強く揺さぶる出来事のなかでも、特に忘れがたいものがあります。許し、犠牲、裏切り、道徳上のジレンマ、死です。例をあげて見ていきましょう。

許し

ジェイソン・F・ライトの『水曜日の手紙』(二〇〇七／未訳)は、夫(ジャック・クーパー)から妻(ローレル)へ、四〇年にわたって毎週水曜日に書かれた手紙が中心となって展開する小説です。ジャックとローレルが亡くなったあと、子供たちがその手紙を発見し、子供たちは手紙を順不同に読み、議論しながら両親のストーリーを解き明かしていきます。

そこに書かれていたのは、恋人時代、結婚、戦争の記憶、旅行、グレイスランド(エルヴィス・プレスリーの邸宅。世界中のファンの聖地)、経済的困難、子供たちの誕生、シカゴ・カブス、選挙、花火、教会、休日、そして子供たちが知らなかった恐ろしい秘密でした(ネタバレにご注意ください）——一九五九年ローレルはレイプの被害に遭いました。しかも、犯人は悔い改め、牧師になっていました。そのうえ、あろうことかジャックとローレルの支援で、彼らがかよう教会の牧師になっていたのです。

冗談ではありません。ジャックとローレルのこの許しの行為は、(アマゾンのレビューでも指摘があるように）あまりに理解しがたいので、どうしてそんなことが起こりうるのか、作者は説明する必要があります。ジャックがローレルにつづった手紙のなかから、犯人の刑期開始から三年後におこなわれた仮釈放の聴聞《ちょうもん》について書いたものを読んでみましょう。

最初に陳述をおこなうように言われたのはわたしだった。異議を唱えたが、問題とされなかった。わたしは、この三年間きみと話してきたことを一言一句逃さずに話した。三年では短すぎる、と。やつがわたしたちの前から姿を消すかどうか、酒を断ち切れるかどうか、収監された日から変わったのかどうか、それは知るすべもない。

別の証人が、やつの贖罪について、やつがどれだけ悔い改めたかを話した。だが、わたしにはとうてい信じられない。許すつもりもない。酒を飲み、あやまちを犯し、国を離れ、騒ぎを起こして逮捕されるがいい。だれかを傷つけることなく、ただ自分自身を傷つけてほしい。

やつには刑務所にもどってほしい。きみとわたしがこの世を去るまでは、塀のこちら側に出ないでいてほしい。

やつの弁護士は、もう一度チャンスを与えるべきだと言った。面会したときのようすや、やつの日記の話をした。やつは聖書を学んでいて、神の存在を見出す機会を与えられるべきだと言うのだ。他者を助けるために。再び人間らしく生きるために。

なぜわたしが最初に陳述をしなければならなかったんだろう。

自分が見たものをきみや神に対して否定することはできない。やつは同じ人間ではあったが、確実に変わりつつある。自分が釈放されるべきだと思うか聞かれたとき、やつは、自分は完璧な人間ではないし、これからもそうなれないことは分かっている、またまちがいを犯すかもしれない、けれども、委員会の判断を受け入れ、それにしたがって生きていくと言った。そして、涙を流しながら、刑務所にいても、世の中に出ても、生きているかぎりどんなときも、酒に酔って悪事を働いたあの瞬間を償い、悔い改めると誓った。

そして言ったことばにわたしは驚かされた。もう二度と他人を傷つけるような過ちは犯さない、とやつは言った。そのことばには力があった。いつわりのないものに聞こえた。少なくともそう思えた。

ローレル、きみのためにやつを憎みたい。それは当然だし、正しいことであり、許されるはずだ。やつが苦しむ姿を、床に這いつくばり、助けを求めて泣き叫ぶ姿を見たい。だれにも助けてやってほしくない。永遠にそこに転がっているがいいと思う。

だが、あの瞬間、あの部屋で、わたしが見たのは、清らかでひたむきなまなざしだった。仮釈放が決まったとき、わたしが感じたのは、ただ哀れみと良心の呵責だった。やつは試練を受けている。きみも試練を受けている。わたしだけがちがう。

神よ、許したまえ。

――ジャック

許すことは困難なものですが、許さないことはさらに大きな痛みとなります。聖書にも、コーランにも、許すことの大切さが書かれています。カーレッド・ホッセイニの『君のためなら千回でも』(二〇〇三)、リサ・シーの『チャイナ・ドールズ』(二〇一四／未訳)、クリスティン・ハナの『ナイトロード』(二〇一一／未訳)、アラン・ペイトンの『叫べ、愛する国よ』(一九四八)といった小説のなかでも、許しは大きなテーマとなっています。人生においても、物語においても、許しはぜったいに必要となるものですが、その感情面での力が読者を圧倒する理由は、わかりやすいものではありません。

正義というものに対してはさまざまな感情があることでしょう。自分が加害者であるか被害者であるかによってもちがいます。許すことができる場合も、心が癒えるのに時間がかかる場合もあるでしょう。けれども、『水曜日の手紙』のこの一節が気づかせてくれる最も大切なことは、許すという行為が、許しを与えることになる者のなかで起こる根本的な変化であることです。

犠牲

犠牲について考えるとき、わたしたちが思い浮かべるのは、自分の命を投げ出すという究極の犠牲です。文学史には、そのような尊い犠牲が多くみられます。「いましていることは、これまでにしてきたどんなことよりも、はるかに意義深い」という一節で終わる『二都物語』(一八五九)

のシドニー・カートンや、『誰がために鐘は鳴る』（一九四〇）のロバート・ジョーダンがその例です。けれども、犠牲にもいろいろなものがあります。小さな犠牲でも大きな犠牲と同じくらい感動的なものになりうる例を見ていきましょう。

感動的なベストセラー小説『クリスマス・ボックス』（一九九三）で知られる、作家リチャード・ポール・エヴァンスは、登場人物に手加減をしません。『ザ・ウォーク』（二〇〇九／未訳）の主人公である、シアトルで広告会社を経営する高慢なアラン・クリストファーセンは、完璧な人生を謳歌していました。完璧な家に住み、完璧なキャリアを誇り、完璧な妻マッケイルがいます。けれども、まるで聖書のヨブ記のように、作者はそのすべてを取りあげます。マッケイルは落馬事故によって重傷を負い、死に至ります。マッケイルに付き添っているあいだに、アランの会社はビジネスパートナーに乗っ取られ、自宅は差し押さえになってしまいます。失意のどん底で、アランは自分を見つめ直すために、アメリカ大陸を横断してキーウェストまで徒歩で旅することを決意します。アランのこの旅は『ウォーキング・オン・ウォーター』（二〇一四／未訳）までの全五巻のシリーズとなっています。

シリーズ第一作の『ザ・ウォーク』では、ワシントン州内を横断するアランの旅路が描かれます。小説の後半でアランは、バンガローが併設された一軒のダイナーに行きあたり、アリーという名の親切なウェイトレスがバンガローに泊まれるよう手配してくれました。壮絶な少女時代を送ったアリーは、アランが心に傷を負っていることを見抜きます。その夜アリーは、サンドイッチやベイクドポテトを持ってアランの部屋を訪れました。

アリーはアランに食事を持ってきただけではありません。ふたりは自分の身の上について語り合います。アリーはアランをソファに誘いますが、それは大半の読者が予想するような理由ではありません。


「足の具合はどう?」

「痛い」

「こっちへ来て」アリーは立ちあがってわたしの手を取り、ソファへと導いた。「すわって」わたしがすわると、彼女はわたしの前の床に足を組んですわり、わたしの靴ひもをほどいた。

「ほんとうにいいのか?」と私は尋ねた。

「もちろん。あなたが気にしなければ」

「大歓迎だよ」

アリーはわたしの靴を脱がせると、私の足をやさしくマッサージしはじめた。

「強すぎたり弱すぎたりしたら言ってね」

「ちょうどいいよ」わたしは答えた。

しばらくのあいだ、ふたりとも無言ですわっていた。触れられることがこれほどまで気持ちがいいとは思ってもみなかった。わたしは頭を後ろに倒し、目を閉じた。

「あなたのことを教えて」アリーは言った。

「いま話したじゃないか」

「あれは以前のあなたでしょう。あなたと同じ経験をして、変わらずにいられる人はいないわ」

わたしは目を開けた。「どんなことが知りたい?」

「ほんとうの気持ちよ。たとえば、キーウェストに着いたらどうするの?」

「わからないな。そのまま海の中へ歩いていくかもしれない」

「そんなことしちゃいけない」彼女は言った。

「ほかにはどんなことが知りたいんだ?」

アリーはしばらく考えてから言った。「神様はいると思う?」

「そのうたがいはある」とわたしは言った。

「どういうこと?」

「神に対して怒りを覚えるってことは、存在を信じているってことなんだと思う」

「自分に起きたことが神様のせいだと思うの?」

「たぶん。きっとそうだ」

彼女は眉をひそめた。わたしが言ったことが気に障ったようだ。

「気を悪くさせたのなら申しわけない」

「そうじゃない。ただ、どうして悪いことはすべて神様のせいにするんだろうって思う。そもそも奥さんとめぐりあったことが神様のおかげだったってことはないかしら。一生かかってもそれほどの愛を経験できない人がどれだけいると思う?」

わたしはうつむくしかなかった。

ひとりの罪深い女がイエスの足を涙で洗い、髪の毛で拭いて香油を塗るという新約聖書の物語

（ルカによる福音書七章三八節）を思い出す読者もいることでしょう。ダイナーのサンドイッチは詩的とはいえないかもしれませんが、ここで重要なのは、アリーが自分の時間、食料、そして自分の知恵を捧げて、アランに新しい見方をさせようと尽くしたことです。それによってアランに神への恨みではなく、感謝が芽生えます。

アランは変わり、読者も変わります。どん底に落ちるのも当然の報いだと読者が思いたくなるような、思いあがった広告マンも、わたしたちと同じように神様に愛されているのです。作家として覚えておきたいのは、犠牲が感動的なものになるのは、大きさのためではなく、必要とされているからだということです。

裏切り

つぎに、裏切りについて考えてみましょう。クリスタン・ヒギンズの『最悪で最高の恋人』（二〇〇九）は、コネティカット州の学校教師で南北戦争マニアの独身女性、グレイス・エマソンの物語です。グレイスは、個性豊かな家庭（母親は吹きガラスで女性器を作る芸術家）に育ち、ゲイの男友だちがいて、かわいい愛犬を飼っています。そして頭のなかで恋人を作りあげるおかしな妄想癖があります。特にいまは、元婚約者がまだ身近にいて、グレイスの美人の妹ナタリーと付き合っているのでなおさらです。グレイスは妹を可愛がっていて、生まれたばかりのナタリーが病院から家に帰ってきたときは、自分への誕生日プレゼントだと思ったほどです。

読者には、グレイスと元婚約者のアンドリューとのバックストーリーが語られ、結婚式のわずか三週間前に婚約が解消されたことが説明されます。そのとき彼は「グレイス……話があるんだ」と切り出しました。「きみのことは大切に思っている」と。

やれやれ。それが何を意味するのかは、だれもがわかっています。もちろん、グレイス自身もです。


「ほんとうに申し訳ない、グレイス」ささやくような声でいった。アンドリューの名誉のためにいっておくと、彼の目は涙でいっぱいだった。

「ナタリーなのね？」静かにきく。自分の声がほかのひとの声のように響いた。

アンドリューは顔を真っ赤にしてじっとうつむき、ふるえる両手でやわらかい髪をかきあげた。「まさか、ちがうさ」嘘をついた。

それでおしまいだった。

（中略）

事実を知ったナタリーは、ひどく悲しがった。別れたほんとうの理由は、もちろん伝えなかった。私が嘘の理由をことこまかに話すのを、彼女はじっと聞いていた……なんとなくすれちがって……心の準備ができていなかったっていうか……別れたほうがいいって判断したの。

話しおえたあと、彼女は静かにきいた。「アンドリューはそれ以外に、なにかいってなかった？」

別れを切り出したのがわたしではないということを、ナタリーは知っていたにちがいない。

彼女はだれよりもわたしのことをよく知っているのだ。「ううん」わたしはきっぱりこたえた。「要するに……縁がなかったのよ。そういうこと」

ナタリーはいっさい関係ない、とわたしは信じていた。アンドリューは外見といい性格といい雰囲気といい、どこをとっても非の打ちどころがなかったけれど、実は運命のひとではなかった。ただそれだけのこと。わたしはペンキを塗りなおしたばかりのリビングで、ブラウニーをむしゃむしゃ食べながら、暗記するほど繰り返し見ている南北戦争のドキュメンタリー映画を見ていた。アンドリューは運命の男性ではなかった。どこにいるか知らないけれど、運命の男性はきっと見つかるはず。そのあかつきには、真実の愛というのがどういうものか世間に見せつけてやる、ふんっ。

ナタリーは大学を卒業して東部にもどってきた。ニューヘブンのこぢんまりしたアパートメントに住んで、働きだした。彼女と頻繁に会えて、わたしとしてもうれしかった。ナタリーはアンドリューをわたしからうばった女じゃなくて……あくまでも妹なのだから。わたしにとって、かけがえのない存在。そう、誕生日プレゼントなのだから。（佐竹史子訳、竹書房、二〇一一年、八四－八六頁）

なんというプレゼントでしょうか。作者は妹に対するグレイスの感情を強調することによって、その裏切りをより悪質なものに感じさせています。裏切りという行為そのもの以上に、だれが、どのようにそれをおこなうかが問題なのです。

道徳上のジレンマ

ジレンマとは、同じぐらいよい結果、あるいは、おなじぐらい悪い結果をもたらすふたつの選択肢のあいだで決断を迫られることです。道徳上のジレンマは、主人公だけでなく、ほかの人間にとっても、同じぐらいすばらしい結果、あるいは耐えがたい結果をもたらすものであり、選択はさらに困難なものになります。ジレンマに陥ることは、だれもが一度は経験するはずです。道徳上のジレンマとなると、だれも望みませんし、ほとんど直面することのない状況ですが、説得力のある小説を作るには絶好の条件となります。

リアーン・モリアーティの『死後開封のこと』(二〇一三)は、タイトルを見ると、秘密の文書について書かれているように見えますが、実際には、道徳的ジレンマに陥った女性についての長い物語です。(重大なネタバレがありますのでご注意ください)シドニーに住むセシリア・フィッツパトリックは、ベルリンの壁について勉強している娘のために、若いころに手に入れたベルリンの壁の破片を屋根裏部屋で探していました。そのとき、セシリアは夫ジョン＝ポールから自分にあてた封書を見つけます。そこには夫の死後開封するようにと書かれていました。けれども、夫はまだ死んではいません。

その手紙を読むか読まないかだけでもかなりのジレンマですが、実際に読んでしまうと、セシリアのジレンマはさらに深刻なものになります。それは、夫が一七歳のとき、自分をふった少女ジェイニー・クロウリーをかっとなって殺してしまったという告白でした。さて、あなたならどうしますか？　夫を警察に突き出すのが法律的には正しいことですが、セシリアにとってジョン

－ポールは三人の娘たちの父親であり、愛する夫なのです。それでも、ジョン－ポールがジェイニー・クロウリーを殺害した犯人であることに変わりありません。ジェイニーの母レイチェルは健在で、学校で秘書として働いています。レイチェルは、体育教師となっているコナー・ウィットビーが娘の殺害犯だと思いこんでいますが、読者はそれが誤りであることをわかっています。

　作者は、セシリアが夫を警察に突き出すべき理由、そしてそれができない理由を積み重ね、セシリアのジレンマを深めていきます。セシリアに問いただされたジョン－ポールは、後悔にさいなまれながら、自首しなかった自分は臆病者だと認めます。自分が父親となったいま、ジェイニーの両親に対してやってしまったことの重さを痛感しているのです。反省したからといって、ジョン－ポールが許されるはずもなく、ジレンマはさらに深まります。セシリアが手紙の件ではじめてジョン－ポールと対峙した重要な場面を読んでみましょう。ふたりの娘ポリーが夜中に目を覚まし、ジョン－ポールが寝かせつけにいきます。セシリアは夫が犯罪人であるという現実を自分なりに処理しようとしています。

「また寝たよ」ジョン－ポールは書斎に戻ってきて目の前に立ち、へとへとになったらいつもやるように、小さな輪を描いて頬骨の下をマッサージしている。
　悪い人には見えない。自分の夫にしか見えない。ひげをそらず寝乱れた髪、目の下にはくま。自分の夫だ。子供たちの父親だ。
　その彼が人を殺したことがあるのなら、再発防止にはどうすればいい？　つい今しがた、うっかりポリーの部屋に行かせてしまった。つい今しがた、娘たちの部屋に人殺しを入らせてしまった。

だけど、ジョン－ポールなのよ！　娘たちの父親。パパなんだから。

そんな娘たちに、ジョン－ポールがしでかしたことを伝えるなんてできる？

パパはこれから牢屋へ行くの。

ほんのしばし、セシリアの頭は完全停止してしまった。

娘たちに話すなんてできない。

「本当にすまなかった」ジョン－ポールが言う。無駄と知りつつ両手をさしのべている。まるで、抱きしめたいのに二人を隔てるものが大きすぎて乗り越えられないみたい。「愛するきみに、本当にすまないことをした」

セシリアは自分の裸を腕で抱くようにした。ひどく震えて歯の根が合わない。これは反動だわ、と安堵と共に考えた。危うく正気を失うところだったけど、こんな問題をうまく処理するなんて論外なんだから、もっともな反応よ。だって処理なんて絶対無理だもの。（和爾桃子訳、東京創元社、二〇一八年、上巻二四三－二四四頁）

ジョン－ポールを警察に突き出すべきかどうかのジレンマは深まりつづけ、答えを出すことができないまま時間が過ぎるうち、悲劇が起こります。殺された少女の母レイチェルは、犯人だと誤解している体育教師コナーへの復讐の機会を得ます。けれども、レイチェルはコナーではなく、セシリアの罪のない娘ポリーに重大な怪我を負わせてしまいます。この悲惨な事故ののち、ジェイニー・クロウリー殺害の真相が明らかにされ、レイチェルはセシリアと同様にジレンマに陥ります。真犯人であるジョン＝ポールを警察に突き出せば、正義が成り立ちます。けれども、ポリーに大怪我をさせるに至ったレイチェル自身の激しい怒りは、かつてのジョン＝ポールの衝動とどうちがうのでしょうか？

ジレンマは、登場人物に深い苦悩を与え、自分だったらどうするかと読者にも考えさせます。一歩離れたところにいるのですから、苦悩はそれほど深刻ではないにせよ、読者もかなり気をもみます。大きなジレンマであれば、じっとしてはいられません。

ジレンマが最大になるのは、リスクが高く、自分に降りかかってくるときです。ひとつの選択肢が道徳的に正しくても、個人的な理由からもうひとつの選択肢を捨てきれない場合、選択は非常に困難なものになります。秩序を守るべきか、愛を守るべきか。真実を述べるべきか、罪のない人間を守るべきか。自分に正直に生きるべきか、他人を思いやるべきか。ストーリーのなかに勝者がいない場合こそ、読者が最も楽しめるストーリーになっていると言えます。

死

死の痛ましさを表現する以上のことはあるでしょうか。いやな言い方ですが、読者が涙を流すほど、本は売れます。悲しみは気持ちを暗くするもので、読者からは敬遠されるものだと思われがちですが、気持ちよく泣けるものはだれもが好きなのです。

もちろん、場合にもよります。ここで重要なのは、気持ちよくということです。泣きたくなるのは、そして悲しい気持ちに浸りたくなるのはなぜでしょう。悲しみそのものは、わたしたちが望む感情ではありません。けれども、惜別《せきべつ》の気持ちはちがいます。惜別によって、悲しみにもたらされるものがあります。大切な人を失い、その人を恋しく思うときに起こるのが惜別の気持ちです。その人の不在によって感じるのが、むなしさではなく、自分の世界が不完全なものになったという思いなのです。死を悲しく思うとき、心の扉は閉ざされていますが、死が惜別の気持ちを引き起こすとき、扉は開いているのです。どこに向かって開いているのでしょう？　忘れたくないもの、大切に思う人に向かってです。そして、大切に思えば思うほど、惜別の気持ちは強くなります。

ジョン・グリーンの『さよならを待つふたりのために』(二〇一二)のように、がんで死んでいく一〇代の若者を描いた、涙を禁じ得ない小説について考えるときは、作者が死にゆく若者をどう描いたかではなく、その生き方をどう描いたかに注目しましょう。生きているときの姿を愛すればこそ、失ったときの悲しみは大きくなります。

この小説の語り手は、インディアナ州に住む一六歳のヘイゼル・グレイス・ランカスターです。甲状腺がんが肺に転移しているヘイゼルは、死と隣り合わせで生きてきました。ヘイゼルは、自分を勇気づけるための気休めのことばや医学的な決まり文句を軽蔑しています。小説の冒頭で、うつ状態にあった彼女は「でも本当は、気がめいるのはがんの副作用じゃない。死の副作用だ」と語ります。ヘイゼルのありのままのことばがもっと聞きたくなりますね。読者はすぐに、この利発な少女の虜になります。

ヘイゼルの冷笑的な態度は、倒すことができない敵と折り合いをつけようとする闘いの副作用であり、教会の地下室で毎週開かれるサポートグループという若いがん患者の集まりもその対象です。逃れられない運命のなかで前向きになろうというこの不毛な集まりに、ある日、ジャック・ケルアックのような少しひねくれたひたむきさと、若きコール・ポーターとも言うべき深い知性を備えた少年、オーガスタス・ウォーターズが参加します。オーガスタスは骨肉腫で片足を失っていて、義足のせいで運転がびっくりするほどヘタです。唇にはけっして火をつけることのないタバコをはさんでいます。

そんな魅力的なオーガスタスが、どんなときもウィットを忘れないヘイゼルに強く心を動かされます。オーガスタスと出会った日、ヘイゼルがサポートグループの会合ではじめて自分から発言する場面を読んでみましょう。彼女は、愛読書であるオランダ人作家ピーター・ヴァン・ホーテンの『至高の痛み』を引用します。ピーター・ヴァン・ホーテン自身ものちにプロットのなかで重要な役割を果たすことになります。

私はオーガスタス・ウォーターズのほうを向いた。オーガスタスも私を見返した。瞳がすごく青くて、向こう側まで透《す》けて見えそうだ。私はいった。「いつか私たちが全員死ぬときが来る。全員ね。人間はひとりもいなくなって、だれが生きていたとか人類がなにをしたとかを覚えている人もいなくなる。あなたのことはもちろん、アリストテレスやクレオパトラを覚えている人もいない。私たちがしたこと、築いたもの、書いたもの、考えたこと、見つけたことも全部忘れられて、すべてが」──私は両腕を大きく広げた──「無意味になる。そう遠くないうちにそのときが来るかもしれないし、数百万年先かもしれない。でもたとえ私たちが太陽が燃え尽きた世界で生き残れたとしても、永久に生き残れるわけじゃない。生命が意識を持つ前にも時間は存在したんだから、いなくなった後だって時間は続いていく。人という存在の忘却が必然で、あなたがそれを不安に思うとしても、そんなこと無視すればいいと私は思う。ほかの人だってそうしてるんだし」

元ネタはさっきもいった三番めの親友、ピーター・ヴァン・ホーテンだ。公の場に出ることのない作家で、『至高《しこう》の痛《いた》み』という本を書いた。私のバイブルともいえる本。ピーター・ヴァン・ホーテンは、私が知る限りただひとり①死が迫っているということがどういうことかわかっていそうな、②まだ死んでいない人物だ。

私が話し終えると、長い沈黙があった。すると、オーガスタスの顔に、満面の笑みが広がった――私を見つめているときに見せた、大人ぶった、ややひねくれた笑みじゃない。素《す》の笑顔だ。笑いすぎて、オーガスタスの顔がくずれた。「君って」オーガスタスが小声でいった。「すごいな」（金原瑞人・竹内茜訳、岩波書店、二〇一三年、二〇－二一頁）

そう、彼女はすごい。そこが重要です。ヘイゼルとオーガスタスは一〇代とは思えないほど豊かな表現能力を持っています。彼は魅力にあふれた片足の詩人。彼女は酸素チューブをつけた皮肉屋の女神です。恋に落ちたふたりは、ピーター・ヴァン・ホーテンに会うためにアムステルダムへいっしょに旅をします。友人を傷つけた女の子の車に生卵を投げつけにも行きます。ふたりは教会の地下室を「文字どおりキリストの心臓」と呼びますが、ヘイゼルの救いがオーガスタスであることは明らかです。死がふたりを分かつ終盤の五〇ページほどは、涙を拭くためのティッシュペーパーの箱をかかえて読んだほうがいいかもしれません。

死を痛切なものにするには、生きることを美しく描いてください。死んでいく登場人物を心から惜しむのは、生きている姿が最高に輝いているからです。

《感情を引き出す技巧　演習問題その22》

より強く感情を高まらせる

・主人公をはじめとした、あなたの作品の登場人物で、許される必要がある人物はいますか？　どんなことをしたのでしょうか？　許しを与えなければならない人に目を向けましょう。その人にとって、その出来事がけっして許せないものであるようにします。

・許しを与えなければならない人についてさらに考察します。どのような点でほかの人間よりも変わる必要があるのでしょうか？　変わることはなぜ困難なのでしょうか？　何があればその人の心はやわらぐでしょうか？

・あなたのストーリーのなかで、犠牲を払うことができる人物はいますか？　大きな犠牲でなくてもかまいません。その人物ではなく、その恩義を受けることになる人物について考えます。その人物がその恩義を切実に必要とするようにしましょう。

・それがなぜ切実に必要なのかについて考え、構築します。ほかに助けを得られる道を削除します。最悪の状況となったときこそ、恩義を受けるときです。

・あなたの主人公は裏切りに遭いますか？　裏切り行為をおこなう人間を最も力を入れて描きます。主人公にとって重要な人物にしましょう。裏切りそのものが明るみに出る最悪の方法はどのようなものでしょうか。強い衝撃をもたらすものにします。
・主人公が選択を迫られる状況を考えます。どの選択肢も選びようがなく、どちらをとっても何も得られない設定にしましょう。選択が不可能になるまで考えます。
・あなたの小説のなかで死を迎える人はいますか？　その人物を読者が深く愛するようにしましょう。あなたの小説には死の影が支配していませんか？　生きることを美しく描きます。ストーリーを喜びと愛で満たしましょう。

象徴

だれもが象徴というものを知っています。意味が明らかなものもあれば、作りあげられたものもあります。国旗を振ることが象徴するものはいまも昔も変わりません。赤いバラやダイヤモンドも愛されつづけています。

十字架、王冠、星、鷲、鳩、希望の象徴としてのたいまつ、戦没者追悼の赤いポピー、桜、理容店の三色のポール、ディスコのミラーボール、仮面、四つ葉のクローバー、カドゥケウス〔ギリシア神話の伝令の神ヘルメスが持つ二匹の蛇が巻きついた杖〕など、わたしたちの身のまわりにはさまざまな象徴があり、当然のこととして受け止めています。けれども、それらは最初から象徴としての意味合いを持っていたのではなく、長く使用されることによって意味を獲得したものです。これは、小説家にとって参考になるものです。どんなものでも象徴になりうるのです。物だけでなく、身ぶり、場所、ことばも象徴となることができます。寓話のように、ストーリー自体が象徴になることもあります。

この最古の文学的手段としての象徴の効果を考えると、現代の小説家で象徴を使う人がほとんどいないことは驚きです。あからさまであったり、安っぽかったり、稚拙だったりすることを恐れているのかもしれませんし、忘れているだけかもしれません。理由はどうあれ、象徴は読者にまぎれもなく影響を与えるものであり、もっと尊重されるべきものです。

象徴の持つ効果は、その設定からはじまります。ダイヤモンドの指輪のように、文脈がなければ、象徴にはなんの効果もありません。あるものの象徴的な意味を読者にわかってもらうためには、ひとつのパターンのなかで見せる必要があります。象徴はいつのまにか意味を獲得します。最初は気づかれず、気づかせる意図もないのですが、繰り返しているうちに、表現されている意味が明らかになるのです。もちろん、いつもそうとはかぎりませんが、象徴的な行動は、思いがけなく現れたときこそ絶大な効果を発揮するものです。

Ｋ・Ｃ・マキノンの『ベイストリートにともるキャンドル』（一九九九／未訳）は、カナダとの国境近く、国道一号線の起点であるメイン州最北端の町フォートケントが舞台です。主人公の獣医サム・ティボデューは、同じく獣医である妻のリディアとともに動物病院を経営していますが、かつて思いを寄せていた自由奔放な女性、ディー・ディー・ミショーをまだ忘れられません。彼女は高校の卒業式の前日、地元の不良少年と駆け落ちして町を出ていました。そのディー・ディーが九歳の息子トルーパーを連れて町にもどってくると、妻がいぶかしむほどサムの気持ちは揺れ動きますが、妻とディー・ディーはすぐに親しくなります。

けれども、ディー・ディーがフォートケントにもどってきたのは、ベイストリートでキャンドルの店をはじめるためだけでなく、（以下ネタバレがあります）死期が迫っているからだということがわかり、サムの気持ちは脇に追いやられます。彼女はサムにふたつのことを頼みます。ひとつは、自分の死後、息子のトルーパーを育ててほしいということ、もうひとつは、自分の人生を終わらせるのに手を貸してほしいということです。サムは獣医師であり、方法は知っています。必要な薬は、橋をひとつ渡った先のカナダで手にはいります。

サムは決断に苦しみますが、最終的に彼女の死を手助けすることにし、薬を手に入れます。最期の夜、サムとリディアがディー・ディーとトルーパーとともに過ごす場面を読んでみましょう。ディー・ディーの病状については根も葉もない噂が広まっていて、ほかに立ち会う人はいませんでした。

「さあ」わたしたちのあいだの張りつめた空気が、ガラスのようにひび割れて砕け散る寸前、ディー・ディーはついに口を開いた。「これはパーティーなのよ。みんなの笑顔が見たいの」

キャンドルの光のなかで、目の下の黒い影は魔法のように消えていた。

「ディー・ディー」わたしは口を開いた。町の人たちについて、人間の弱さについて、何か言わなくてはいけないと思っていた。ひと晩じゅうごまかすなんてことはできない。だが、何も言う必要はなかった。窓の外を見ていたトルーパーがいきなり飛びあがった。

「サム、あれを見て!」トルーパーは叫んだ。わたしは窓に駆け寄った。見渡すかぎり、ベイストリートのかなたからずっと、無数の小さな炎が夜の闇のなかを上下に揺れながら近づいてくる。

「いったい何が起きてるんだ?」わたしはトルーパーに聞いた。目の前の光景を把握できなかった。ブルース・スプリングスティーンのコンサートで観衆がともすライターのようだ。やがて、わたしは何が起きているのかを理解した。すごい数のキャンドルが暗闇のなかで揺れている。通りの向こうからずっと、町中の至るところから、みんなが手に手にキャンドルを持ってベイストリート二〇四番地に向かって歩いてくる。先頭にいるのはロスとヴィッキーだ。ディー・ディーの家の前庭はあっという間にいっぱいになり、ホタルが飛び交う原っぱのようだ。キャンドルに照らされて、町の人たちの顔が浮かびあがる。幼いころからディー・ディーを知っている人たちだ。キャンドル作りの教室で出会った新しい仲間もいる。ビージェイの店のバーテンダー、カフェのウェイトレス、わたしの知らない顔もある。フォートケントの人口の半分がそこにいるような気がした。町中からキャンドルを手に別れを告げに来ていた。そのキャンドルは、ディー・ディーの店で買ったもの、そして、ディー・ディーに作り方を教わったものだ。型破りで個性あふれる彼女に、愛してやまない存在になった彼女に、みんな別れを告げに来たのだ。

この涙を誘う結末を読みながら、こんなふうに思うかもしれませんね。やりすぎじゃないか？町中の人たちが自殺者に別れを告げにやってくる？　ろうそくを持って？　そう思ったら、自分が涙を拭いたティッシュの山を見てください。『ベイストリートにともるキャンドル』がホールマーク・チャンネル〔家族向け番組で知られるアメリカの有料テレビネットワーク〕で映画化されたのは、まさにこの場面のためではないでしょうか。安っぽいと言われようが、絶大な効果を生むことはまちがいありません。感情を揺さぶるものであれば、ぜひ取り入れましょう。

象徴的なことばは、まったく別の形で意味を持つようになります。その意味が最も鮮烈に響くのは、ありふれた文脈で聞くときではなく、まったく別の文脈で使われたときです。親愛の情をこめて、正反対の意味で使うときがその好例です。「おならかい、お嬢さま。恥ずかしくないか？」あるいは、「おれたちはお前が大好きだ。わかっているよな、このクソ野郎」。詩的で隠喩的なことばも、繰り返し使われるうちに、ありふれたものになり、簡略な表現になることがあります。一度象徴的な意味を得たことばは、じわじわと効いてくるのではなく、読者の胸にいきなり響くのです。

オーストラリア人作家グラム・シムシオンの世界的ベストセラー『ワイフ・プロジェクト』（二〇一三）の主人公ドン・ティルマンは、重度のアスペルガー症候群であるのがだれの目にも明らかですが、滑稽なことに自分ではそれに気づいていません。大学で遺伝学を教える彼は知的能力がきわめて高く、高収入で健康にも問題がない一方、生活パターンにこだわり、人づきあいがひどく苦手です。それでも四〇歳を目前としたドンは、結婚に向けて最後の挑戦をすることにし、完璧なパートナーを見つけるための科学的な探索方法を考えつきます。「ワイフ・プロジェクト」と名づけた、両面印刷で一六ページに及ぶアンケートを作成して、インターネットに公開するのです。

その結果は、だれもが予想するとおり、うまくいくわけもありません。

そんななか、ドンはあらゆる点で理想とかけ離れた大学院生ロージー・ジャーマンと知り合います。ロージーは整理整頓が苦手で、感情的で、喫煙者で、いつも時間に遅れてきます。最初の出会いは最悪でしたが、ドンはロージーの実の父親がだれであるかを遺伝学的に調べるよう依頼されます。

小説の中盤、「ワイフ・プロジェクト」にビアンカ・リヴェラという女性が応募してきました。州の社交ダンスの大会で二度優勝経験があり、パートナーにはダンスの上級者を求めているという一点を除いてはドンの条件を完璧に満たしています。記憶力に自信があるドンは、一〇日間でダンスのステップをマスターすることに決め、解剖学教室のガイコツを練習相手に、ダンスのあらゆるステップを覚えることにします。

けれども、ドンは大事なことを忘れていました。音楽に合わせて練習していなかったのです。大学の教職員のダンスパーティではじめてビアンカと踊ったドンは、ビアンカにまったく合わせることができず、いつもながらに笑いものにされてしまいます。そんなドンを救ったのは、ロージーでした。映画『グリース』のポーズを決めてドンを指さし、「いいから、どんどん踊って」とダンスフロアに引っ張りあげます。『グリース』を完璧に踊ったドンとロージーは会場じゅうから拍手喝采を浴びます。

パーティーのあと、ロージーとタクシーに相乗りしたドンは、それを化石燃料の有効な活用法だと考えます。わたしのほうを見て、とロージーに言われたドンは、きみがどんな姿なのかは知っている、と答えます。ふたりはプライベートな事柄について語り合い、ロージーは薄情な義理の父親のことを、ドンは亡くなった姉のことを話します。

そしてロージーは——


タクシーの運転手がわざとらしく咳払いをした。たぶんこれはビールをくれという合図ではないだろう。

「寄っていかない?」

それをきいて頭のなかが真っ白になった。ビアンカと会ってダンスをして、ビアンカから拒絶されて、円満な社会生活を送るために労力を使い果たし、プライベートな事柄について語り合い、ようやくこの苦しい試練から解放されるという時に、まさかの提案だ。ロージーはもっと会話を続けたいらしい。いまの自分がそれに応じられるとは思えない。

「もうこんなに遅い時間だ」

帰宅したいのだという意思表示として一般的に通用する返答をしたつもりだ。

「タクシー料金は朝のほうが安くなるわ」

ぼくの理解が正しければ、これはとんでもない状況だ。きっと彼女の言葉を誤解しているにちがいない。それを確かめなくては。

「それは、一夜をともにしようという提案？」

「かもしれない。まずあなたにわたしの人生について知ってもらってからね」

〈警戒せよ！　危険が迫っているぞ、ウィル・ロビンソン。未確認生物が接近中！〉わけのわからない感情に飲み込まれていくのを感じる。それでもなんとか踏みとどまって冷静な声で応じた。

「残念だけど、朝の予定が詰まっているんだ」

ふだん通りの日課が待っている。

ロージーがタクシーのドアをあけた。引き留めるつもりはない。ロージーにはまだいい残したことがあった。

「ドン、質問していい？」

「ひとつだけなら」

「わたしに魅力を感じた？」

翌日ジーンは、この質問の意味をぼくが取り違えたと指摘した。でも彼はその場にいたわけではない。精神的に過剰な負担を負い、この世でもっとも美しい女性とタクシーに乗っていたのはぼくであって、彼ではない。ぼくの判断は正しかったと信じている。あれはぼくを試す質問だった。ロージーには嫌われたくない。そこで思い出したのだ。男性は女性を物扱いしていると彼女が激しく批判していたのを。ぼくがロージーを物として見ているのか、それとも人として見ているのか、あの質問で試されたのだ。もちろん正解は後者だ。

「全然そんなふうには感じなかったよ」

世界でもっとも美しい女性にぼくはそう伝えた。（小川敏子訳、講談社、二〇一四年、一八一―一八三頁）

この一節で注目してほしいのは、作者が「この世でもっとも美しい女性」という象徴的なことばをさりげなく盛りこみ、すぐにそれを主人公にすさまじいほど皮肉な（しかも自滅的な）形で言わせていることです。

「全然そんなふうには感じなかったよ」世界でもっとも美しい女性にぼくはそう伝えた――ああ、ドン、なんということを！　このおかしな思考回路を持つ主人公がなんとか弱点を克服して、自分に明らかに好意を寄せてくれている女性の手を取ってほしいと願っている読者は、がっくりと膝をつきます。

効果的に使うことによって、ことばは大きく感情を揺さぶることができるのです。

《感情を引き出す技巧　演習問題その23》

象徴

・ストーリーのなかで、心を象徴する場所はどこですか？　その場所を崩壊させ、建てなおします。

・主人公が大切にしている関係は？　その関係を壊して、修復します。

・主人公にとって思い出の品物はなんですか？　それを失わせ、また見つけます。
・主人公にとって特別な意味を持つことばはなんですか？　ストーリーのなかで何通りの使い方ができますか？
・あなたのクライマックスシーンを見てみましょう。その舞台はどこですか？　その場所にある、主人公だけが気づく物はなんでしょう？　同じ物あるいは似た物を原稿の早い段階に仕掛けておき、その象徴的な価値を高めましょう。
・あなたのストーリーの主人公（ほかの人物でもかまいません）が、許しを与える、あるいは、許しを受けることはありますか？　そのための最もわかりやすく、意味深い方法はなんでしょうか？　あらかじめ、その身ぶり、場所、あるいはそのことばの意味を深めておきます。なんらかの形でそれを奪い去り、のちに取り返します。
・あなたの主人公にとって、愛情を最大に表現するものはなんでしょうか？　喪失感を表す最も痛切なしぐさは？　あたたかい歓迎を表すしぐさは？　軽蔑を表す最も見苦しいしぐさは？　祝福を最大に表現するものは？　ストーリーの早い段階で、なんらかの象徴となるものを仕掛けておきます。
・主人公の考えかたや信じていることと正反対の思想や信念はなんですか？　それを体現するようなキャラクターを作りましょう。大げさに描きます。あからさますぎないか気にする必要はありません。控えめにするように指摘されることはないはずです。

象徴になるものは、国旗や鷲、バラ、指輪、ロケット、稲妻、雨、蛇といったものだけではありません。キャラクターにとって意味のあるものはすべて、裏返しの意味にしたり、繰り返したり、その重要性を高めるような方法で使うことができます。キャラクター自身が、思想や信念、あるいは人間性を表すこともできます。象徴としての意味は元からあるものではありません。その意味を決めるのはあなたです。どんなものも象徴にすることができます。

ずっと浸っていたくなる物語の世界

あなたには、永遠につづいてほしいと思った日がありましたか？　その一日を魔法のようなものにしたのはなんでしょうか。あなたがいた場所、いっしょにいた人、あるいは、人生の特別な時期だったからでしょうか。そうかもしれませんが、わたしにはそう思えません。

それはなぜかというと、あなたはそれ以前にも、それ以降にも、その場所にいたことがあるはずだからです。その人、あるいはその人たちといっしょにいたときがほかにもあるはずです。人生のその時期には、必然的にほかの日々がありました。いずれも、それだけでは、その一日を魔法のようなものにした原因にはなりません。

それでは、あなたの結婚式の日が特別なものであったとしましょう。もう二度とないこと（願わくは）です。けれども、考えてみると、その日をそこまですばらしいものにしたのは、結婚の誓いではなく、それ以外のさまざまなことなのです。あなたにとって大切な人たちがたくさん集まったこと。あなたにみんなの目が注がれたこと。永遠に残る写真。安心感。サポート。愛。指輪。安堵の気持ち。音楽。結婚の永続性。ハッピーエンドとさらにハッピーなことのはじまり。これですべてうまくいくという気持ち。

結婚式のような比類のない出来事でさえ、その日が永遠につづくよう望む気持ちを生み出すのは、場所でも、人でも、状況でもないことはあきらかです。その日を特別なものだと感じさせるのは、自分の気持ちです。表向きの出来事ではなく、心の内側で起きていることなのです。

それは、読者が離れがたくなるような、不思議な磁力を持った、鮮やかで心を引きつけるストーリーの世界を作ることと密接に関係しています。余韻に浸りたいという気持ちを起こさせるのは、設定そのものや、個性的で愛すべき登場人物、あるいは主人公の身に起こる出来事ではありません――もちろん、こうしたものが悪いわけではないのですが。余韻に浸りたいという気持ちは、読者自身の気持ちから生まれるものです。

石畳の舗道、チョコレートエクレアが並んだケーキ店、多彩な脇役たちが語るあたたかな助言、そして身のこなしがいい青い目の人物が登場すれば、すてきな世界のできあがりでしょうか？　実際には、石畳とチョコレートと助言と青い目の人物を並べたからといって、さあ、これで読者が離れがたい空想の世界のできあがり、とはいきません。読者が離れがたいと思うのは、感情を強く揺さぶられたときです。

それにはどうすればいいでしょうか。公式もチェックリストもありません。あるのは、場所以外の要素によって読者の感情を引き出すという大きな課題です。

考えていきましょう。

結婚式の日に立ちもどってみます。その日を特別なものにした要素のひとつに、安堵感がありました。式が終わって退場するときに、なぜ人々は笑顔で拍手し、喜びの涙を流すのか、不思議に思ったことはありませんか。その理由は、まず、新郎新婦が無事に祭壇までたどり着き、誓いを立てたことです。両親の仕事は終わりです。緊張で失敗することもなく、転ぶこともありませんでした。リングボーイとフラワーガールは愛らしく、期待に応えてくれました。失敗しそうなことが多かっただけに、すべてが予定どおりに進んだことに、胸をなでおろすのです。

つまり、緊張の高まりとそこからの解放が、大切な一日（あるいは大切なストーリー）を忘れられないものにする確実な方法だといえます。

さらによいのは、緊張の高まりが、何か悪いことが起こるのではないかという恐れからではなく、何かよいことが起こるのではないかという期待から来ている場合です。これは大きなちがいであり、ロマンスだけではなくスリラーにもあてはまります。ですから、魅力のあるストーリーの世界を構築するためにまずすべきことは、期待を生むことです。期待が大きいほど、そしてそれがかなわないことを恐れるほど、うまくいったときの安堵感が大きくなります。

熱意をもって期待しているものであれば、なおさらです。世界をだれにとってもよい場所にしたいと望むことは賞賛に値するかもしれませんが、心をつかむのは、自分自身に対して望むことへの期待なのです。考えてみてください。あなたの期待を強くかき立てるのはどちらでしょう。世界平和ですか、それとも、行きつけのカフェで週一回だけ働いている内気な美女の笑顔を引き出すことですか？　だれもがみな、恋をしたことがあります。世界平和は抽象的なものであり、期待できない願いです。人間は恋をするものです。彼女の笑顔を勝ち取ることなら期待できます。

熱意を最大に傾けられるものとは、言うまでもなく愛ですから、主人公が何を、そしてだれを愛しているかを設定することは、心に響く期待を生むのに効果的な方法です。もちろん、愛する対象は場所でもかまいません。その場所を愛する理由はなんでしょうか？　読者がいい気分になるのは、小説の世界でいいことがあるときです。それはどんなことでしょうか？　おいしい食べ物、よい仲間、そしてすべてが公正であること。そんなところならだれでも住みたいはずです。つまり、主人公が愛され、受け入れられて、理解され、支援を受けることで、ストーリーの設定に対する読者の好感度はあがります。

敵意に満ちた環境では、読者は離れていってしまいます。ストーリーの道徳的価値観についても同様です。読者は、公平、正義、寛容な精神が生きる場所を求めています。ストーリーの舞台は、善良な精神が支配するか、主人公が勝利することによって善良な精神が復活するようにしましょう。

《感情を引き出す技巧　演習問題その24》

ずっと浸っていたくなる物語の世界

・あなたのストーリーの世界について考えましょう。主人公はその世界についてどう感じていますか？　基本的に善であり、公正な原則に支配されていると考えていますか？　それとも、基本的に敵意に満ち、苦痛しか期待できない場所だと考えていますか？

・前者であれば、何が、あるいはだれが、主人公の善の基盤となっていますか？　後者の場合、主人公はこの敵意に満ちた場所で、どのようにユーモア、慰め、あるいは避難場所を見つけますか？　あなたの主人公が善の要素をどのように経験するかをひとつの段落に書きましょう。あるいは、善が進行するのが読者にわかるような一節を書きます。

・あなたの主人公の味方はだれですか？　その気づかい、理解、援助が示される瞬間を作りましょう。その瞬間は、あなたの小説の冒頭から何ページぐらいのところにありますか？

・あなたの主人公が愛しているのはだれですか？　ストーリーにいつごろ登場させますか？　その愛が報われるのであれば、それを示します。もし報われないものであるなら、主人公はどのようにして愛を維持しますか？

・あなたのストーリーの世界で、主人公が人間以外に愛しているものはなんですか？　主人公の心をあたたかくしてくれるものはなんですか？　その喜びや心地よさ、安心感、楽しさなどを、読者がすぐに手に取ったり、においを嗅いだり、味わったり、感じたりできるような方法を見つけましょう。

・プロットの問題や目標とは別に、主人公が望むものはなんですか？　読者が思い浮かべることができる、人間らしく、具体的で、現実に存在する、達成可能なものにします。それが主人公を駆りたてるものであることが、どのようにして読者にわかりますか？　最大の手がかりとなるのはなんですか？

ストーリーの世界を豊かにするには、感覚的に細部を描くよりも、感情面での体験を生み出すことが重要です。チョコレートにたとえてみましょう。チョコレートの魅力は甘さだけではありません。ショコラティエの情熱と、口にしたときに得られる高揚感が、より一層チョコレートをおいしく感じさせるのです。

宝石とネックレス

――感情を揺さぶることばづかい

わたしはネックレスが大好きです。別にヒッピーではありませんし、女装もしません（女装を批判しているのではありません）。ただ、女性が自分を美しく見せようとするさまざまな方法が好きなのです。フレンチツイストにした髪、肩を出したドレス、ミステリアスなアイメイク、そして美しいネックレス。ダイヤモンドのネックレスには目を見張ります。ティファニーのウィンドウでしか見たことはありませんが。

けれども、華やかなネックレスを作るのに、高価な宝石は必要ありません。もっと大切なのは、調和、バランス、比率、動き、コントラスト、強調といったデザイン上の要素です。たとえば、ネックレスに統一感のある素材を使うことで調和がとれます。木や粘土からは地球を連想しますし、ターコイズとシルバーも自然な組み合わせです。こういったデザインはサンタフェあたりのアクセサリー店でよく見かけます。素材を均等に配置すればバランスが取れますが、左右を非対称にしたデザインも魅力があります。ネックレスの片側から受ける印象が、反対側ではまったくちがうものになっているような構成です。オニキスとオパールのビーズを交互に配置するようなコントラストは、象徴的な興味がないとしても視覚的に目を引くものです。

比率もネックレスの配置を考えるうえで重要です。真珠の粒を下に向かって大きくなるように並べるのはそのためです。補足を使った配色はコントラストが強く、テーマに変化を加えられます。見る者の目をとらえるような動きを作ることも大切です。わたしがドロップネックレスを好きなのは、動きがあるからです。

さて、誤解しないでください。女性の左手薬指に輝くダイヤモンドをひと粒だけ配したリングは、とても美しいと思います。象徴的で、感情に訴えるものです。指輪は否定しませんが、わたしにとって、婚約指輪と芸術的に配置されたネックレスとでは比べものになりません。一方は純粋で気高く、ひと目見ただけで理解できます。もう一方は、複雑で人を引きつける魅力があり、もう一度見ずにはいられません。花嫁はまちがいなく宝石ですが、結婚した女性はネックレスです。失礼。この比喩は逆にすべきだったでしょうか？　何はともあれ、わたしが言いたいのは、ネックレスで美しいのは、宝石そのものではなく、その配列だということです。これは、ことばについてもあてはまります。

『シャドウハンター』シリーズで知られる作家カサンドラ・クレアは、「ことばはわたしたちの命だ」と書いています。『氷と炎の歌』シリーズの作家ジョージ・R・R・マーティンは「ことばは風だ」と表現しました。『五次元世界のぼうけん』（一九六二）で知られるマデレイン・レングルはその回想録で「ことばはわたしを酔わせる」と記しています。適切なことばを選ぶことは、大きな悩みです。拳銃と呼ぶか、ピストルと呼ぶか。「おいしい」と「うまい」ではどちらがいいか。「――的」で終わる形容詞は避ける、など。

けれども、適切なことばさえ使えば、すべてがうまくいくわけではありません。ここで考えてほしいのは、適切なことばが宝石だとしても、それだけではネックレスにはならないということです。ことばが力を生むのは、バランスよく配列されたときです。

これについては、詩人や、巧みな論客、スピーチライターといった人たちから多くを学ぶことができます。ことばの配列については学術的に研究され、むずかしい名前がついた数々の技法があります。頭韻、首句反復、アフォリズム、母音韻、連辞省略、二項対立、濫喩、交差対句法、結句反復、快音調、代換法、倒置法、連祷、緩叙法、隠喩、換喩、新造語、臨時語、擬音語、パラドックス、対句法、並列法、迂言法、隔行対話、兼用法、提喩法、ウビスント、くびき語法。こうした用語の内容を調べて実践するのもいいですし、もっとシンプルに考えてもかまいません。

それでは、シンプルに考えてみましょう。反復、対比、反転を使うこと。簡潔であること。力強いことばは文末に。文章には均整を、段落には明暗差を考えて構成すること（ちなみに、この最後の文はくびき語法の例です）。

あるいは、文章の響きをよくすることです。

なぜかというと、読者がストーリーを読むときに、小さくない何か（緩叙法の例です）を感じてほしいからです。読者の心を高い山に登らせたいのです（隠喩を使っています）。それには、ことばを画びょうのようにまき散らしたり、読者の気持ちを動かせそうなしゃれたことばを選んだりするだけでは不可能です。

宝石は美しいものですが、その魅力を生かしたネックレスはさらにすばらしいものです。

力強いことば、熱のこもったことばがバランスよく並べられたとき、最大の効果がもたらされます。かつてのイギリスの首相ウィンストン・チャーチルは、このことを知り尽くしていました。一九四〇年五月、首相に就任したチャーチルが、ナチス・ドイツに対する戦争に向かってイギリス国民を鼓舞するために下院でおこなった歴史的な演説をご紹介しましょう。

われわれの目の前にはかつてないほど過酷な試練がある。われわれの目の前には何カ月にも及ぶであろう戦いと苦しみがある。諸君は問うだろう。「われわれの方針は何か？」と。わたしはこう答えたい。陸海空において、神がわれわれに与えたすべての力をもって戦うことだ。人類の犯罪史にさえ例のない、卑劣で暴虐な圧制に対し、全力を注いで戦う。これがわれわれの方針だ。諸君は問うだろう。「われわれの目的は何か？」と。わたしはひと言で答えることができる。それは「勝利」だ。どのような犠牲を払っても勝つこと、いかなる脅威が待ち受けていようとも勝つことだ。その道がどれほど長く、また困難であろうとも、勝つことだ。勝利なくしてわれわれが生き残る道はない。

平和主義者でも銃を取ってしまうのではないでしょうか。これこそが、力強いことばをみごとに配置することによって生まれる迫力です。チャーチルが国民に語りかけたことばはまさにダイヤモンドのネックレスです。

ピアース・ブラウンのデビュー作である、火星を舞台に奴隷たちの反乱を描いたSF小説『レッド・ライジング　火星の簒奪者』(二〇一四)は、全編が叙情的な文章で描かれています。鉱山労働者である一六歳の主人公ダロウの詩的な語り口は、「レッド」と呼ばれる最下層の階級にある彼とは相反するもので、興味を引かれます。ときに霊歌のように響き渡る、その一人称の語りは、英文学を学ぶ者にはおなじみの修辞法で構成されていることがわかります。ダロウが、処刑される運命にある妻イオへの愛を語る一節を読んでみましょう。妻を殺されたダロウは革命への道を歩むことになります。

歌とダンスはぼくたちの血の中にあるものだから、その両方がきっかけでイオを愛していると気づいたのは驚くようなことでもないだろう。おちびのイオじゃない。あのころのイオじゃなく、いまのイオだ。やつらがぼくの父さんを吊し首にする前から、イオはぼくを愛していたという。でも、煙のこもる酒場で、イオの赤錆色の髪がくるくると流れ、その両足がチターの調べに合わせて、その腰がドラムに合わせて揺れるのを見たとき、ぼくの心臓は二拍ほど鼓動を忘れた。宙返りや腕立て側転のせいじゃない。若者たちのダンスに特有のこれ見よがしな無鉄砲さはなかった。イオのダンスは優雅で誇りに満ちていた。ぼくがいなければ、イオは食べられなかった。イオがいなければ、ぼくは生きられなかった。（内田昌之訳、早川書房、二〇一五年、三一－三二頁）

倒置法、対照法、交差対句法、快音調、転置法、緩叙法、提喩法——。効果的にことばを並べる技法にどんな名称がついているかは重要ではありません。重要なのは、効果的にことばを並べることそのものです。

ことばの順序や配列を並べかえると、どことなく心が落ち着きます。詩に流れるリズムや音楽のバックビートのように、気持ちを静めてくれます。ベビーベッドで聞いた母親の子守唄の名残かもしれません。あるいは、シェイクスピアによって、わかりやすいことばでは満足できなくなったからかもしれませんし、マーク・トウェインが口語的な文体をアメリカを代表する文学に昇華させたからかもしれません。理由はどうであれ、文章を的確に操作することで感情に訴えられることはたしかです。ことばとは、感情を引き出すために自由に組み合わせられるツールなのです。

《感情を引き出す技巧　演習問題その25》

感情に訴えることば

・あなたの原稿から、何かが描写されている一節を選びます。比喩表現は使わず、ことばの組み合わせによって、描写されているものを書き換えてみましょう。

・長い台詞をひとつ選びます。それを説得力があるものにしましょう。国民への演説、山頂からの説話、民間の言い伝え、間断のない暴言、告白のささやき、詩などにしてみます。

・アクションをひとつ選びます。アクションそのものではなく、その結果を通して伝えましょう。破壊されたものや、反応、即座に現れる変化、長期的な影響などです。それらをモンタージュ〔映像の断片を複数組み合わせることでシーンを作り出す映画技法〕のようにつなぎ合わせ、周辺にあるすべてを描きます。

・ある登場人物の別の人物に対する思い出をひとつにまとめます。イメージと短い文章だけで表現しましょう。ストーリーを連想させる光景だけを読者に見せ、説明はしないようにします。記憶を過去へ逆行させたり、混ぜ合わせたり、進化を見せたりします。たとえば、父親が持っていたたくさんの帽子とどんな行事でそれをかぶったかなど、テーマごとに整理しましょう。言うべきことはすべてイメージで簡潔に表現します。
・主人公が大切に思っていることはなんでしょう。そのことについて、主人公が感じていないことをすべて書き出します。ひとつの段落を埋め尽くすほどのリストにします。最後に、シンプルな一文ですべてを覆し、主人公が実際に感じていることを伝えましょう。
・ある人物について、属性のすべてを伝えるリストを作成します。たとえば、母親、看護師、編み物好き、しっかり者、家族の防波堤、家族のよりどころ、パン作りの名人、元遊び人、髪は手早く乾かすだけ、いつもスウェットパンツ、弁当作りの達人、など。

あなたの文章にはどれくらい詩的要素が必要でしょうか。読者があなたの小説を読むとき、大切なことを何度ぐらい感じてほしいですか？　一度か二度ではないよう願っています。それでは少なすぎます。

変化

変化についてはしつこいほど書いてきました。それには理由があります。読者の感情を最も強く揺さぶることができる方法だからです。

変化はだれもが通らなくてはいけない普遍的な経験です。避けることはできません。人生を歩むなかでかならず訪れます。変化は必要ですが、困難で苦痛をともなうものであり、人それぞれに異なります。ストーリーの登場人物に変化が訪れるとき、読者は自分自身が経験した大きな感情の動きを思い浮かべます。登場人物に共感を覚えると言いつつ、実際は自分自身について考えているのです。

変化には小さなものも大きなものもありますが、最も大きな影響を生むのは、善への転換です。変化には瞬間的なものもあります。視点人物が知見を得る、突然の飛躍をとげる、的を射た質問をする、新しい見方で物事を見る、軌道を修正する、など、あらゆる方法で読者の予想範囲を飛び出すときです。

大小を問わず、あらゆる変化は読者のバランスを失わせるものであり、感情を引き出す技巧という観点から見ればすばらしいことです。

一般に、人間のなかで変わるものとは、信念か行動、あるいはその両方です。けれども、変化が読者の感情を揺さぶるのは、変化そのものよりも、変化を起こすことのむずかしさや、変化への抵抗からくるものです。変化を起こすのが困難であればあるほど、変化が起きたときの感情面での効果は大きくなります。

小説では、キャラクターを陰と陽、無力と無謀、ジキルとハイド、信仰心と不信心、正義感と諦念など、ふたつの対立する性向のあいだに板ばさみにすることによって、変化の感情面での効果を強調することができます。引き裂かれるのは苦しいことです。けれども、現実はそういうものではないでしょうか。身動きがとれなくなるのも珍しくはありません。正しいことが理由のときもあります。まちがった信念や不利になる行動が落とし穴になるのは、それが逆の意味で役立つか、少なくともなじみがあるからです。新しいやり方を選ぶのがむずかしいのは、自分の弱さをさらけ出し、煩雑さに直面し、曖昧さを受け入れる必要があるうえに、孤独や不安、リスクを感じるからです。

人々が変化に抵抗したり、変化をとげたとしても元にもどろうとするのも不思議ではありません。けれども、変化を成しとげた瞬間には満足感があります。心が解き放たれ、自信がみなぎります。変化とは、自己憐憫を脱して自分と他人を理解するようになることです。成熟と将来への見通しがもたらされ、高い次元へと意識が引きあげられます。

不安から脱し、平穏がもたらされるのです。

ほんとうの意味で、変化はすべてのキャラクターがめざすところであり、すべてのストーリーの真の結末です。主人公が変身をとげたところで、ストーリーは実質的に終わりを迎えます。プロットの解決だけでは到達できない方法で、読者の心は落ち着きます。

最近の小説から例を考えてみましょう。恋に落ちることほど大きな変化をもたらすものはありません。それは、人生を大きく変える出来事です。以前とはちがう自分になり、けっしてもどることはありません。ふたりの人間がひとつに結ばれるのです。恋に落ちることで、ちがう人間に生まれ変わります。これほど多くの恋愛小説があるというのに、実際に恋に落ちる瞬間が描かれることがあまりに少ないのは驚くべきことです。

その数少ない例として、パティ・カラハン・ヘンリーの親しみやすく良心的な、カントリーミュージックのような小説『パーフェクト・ラブソング』（二〇一〇／未訳）があります。主人公であるミュージシャン、ジミー・サリバンは、弟のジャックとともに、アンノウン・ソウルズというバンドを率いて旅から旅への生活を送っています。ジミーの人生に変化が訪れるのは、感謝祭のために故郷のサウスカロライナ州シーボロに帰ったときです。ジミーは幼いころのつらい思い出がある故郷には帰りたくないと思っていましたが、弟が幼なじみのカーラにプロポーズすることを決めたので、仕方なく同行します。けれども、そこでジミーはシャーロット・キャリントンと出会います。ジミーはシャーロットと恋に落ち、彼女のために曲を書きます。頑なだったジミーがシャーロットに心を開いていく場面を読んでみましょう。

　シャーロットはパーティーですぐに目を引くタイプではないかもしれないが、その夜が終わるころには彼女のことしか覚えていない。それがジミーに起きたことだった。シャーロットは、美しい夕焼けや笑顔のたえないパーティーのように、穏やかだけれど、けっして消えることのない思い出をジミーの心に残した。

それから数カ月後、婚約者と別れてジャックとよりをもどしたカーラは、兄弟を自宅でのバーベキューに招待した。ふと気づくと、ジミーは裏庭のポーチでシャーロットとふたりきりになっていた。カーラの父親がステーキを焼いていて、あたりの空気にはスパイスと炭の香りが満ちていた。

ふたりが立っている場所から、ジミーがかつて住んでいた家の白い屋根の角が、木々を透かしてわずかに見える。

シャーロットが訊いた。「昔の家を見るのっておかしな気分?」

「ああ」ジミーは静かに答えた。「あまり考えないようにしてる。この家を見ても、スクラップブックに貼った切り抜きにしか思えないことがある。自分のほんとうの家じゃないような気がするんだ」

「わかるわ」シャーロットは、疲れた子供に子守歌を聞かせるようなやさしい声で言うと、振り返ってジミーに微笑みかけた。

そのとき、ジミーは自分のなかで何かが変わるのを感じたが、その思いを振り払った。昔の家なんかを見たせいでおかしな感情が自分のなかに流れているのだろう、と。

(中略)「シャーロットは、ジミーの幼年時代の自転車にまつわる愉快なエピソードを持ち出す」

「そんなこともあったな」ジミーはそう言って、家のほうへ目をやった。「あの自転車の話。すっかり忘れてたよ」

「わたしたちってそうよね」彼女は言った。

「何が？」

「いやなことを忘れるのに必死で、楽しかったことを忘れちゃうの」

そのひとことがジミーの心を大きく開かせた。まるで地震が起きて、悲惨な子供時代が崩れ落ちたかのように、ジミーはシャーロットの愛を受け入れることができた。

変わるのは簡単ではありませんが、それこそ読者が小説で読みたいことです。読者が求めているのは、泥沼で身動きできないようなストーリーではなく、読者を解放し、できないことはないと感じさせてくれるストーリーです。ごくふつうの人間も英雄になれます。凍りついた心も溶かすことができます。欠陥だらけの人間も、ほんの少し理想に近づくことができるのです。

どんなに困難でも人間は変わることができると、読者はたしかめたいのです。あなたの登場人物が変わることによって、読者はそれを確信することができます。

《感情を引き出す技巧　演習問題その26》

変化を起こす

・あなたの主人公について考えてみます。経験しなければならない大きな変化とはどんなものでしょうか？　どんな人間になるのでしょうか？　その新しい姿を表現します。

・つぎに逆方向から考えます。ストーリーの冒頭での古い姿を定義してください。鍵となる行動はどのようなものでしょうか。主人公が以前の自分に満足していることを、読者はどのようにしてわかりますか？　古い自分を認め、勇気づけてくれる人はいますか？　古い自分に固執することのよさはなんですか？

・変化しなければいけないと感じる最初の兆しはなんですか？　その瞬間を見つけましょう。そう気づいただけであれば、それでかまいません。できれば、そのきっかけを出来事に変えましょう。かつての主人公はなぜ失敗するのですか？　もっといい道があるはずだと主人公に思わせるものはなんですか？

・主人公自身よりも先に、主人公の新しい姿に気づく指導者を登場させます。この人物は、扉を開き、道を示し、しばらく主人公とともに歩むために何ができますか？

・主人公をかつての姿へと引きもどす悪魔のような人物を登場させます。主人公はなぜ、どのようにあともどりするのでしょうか？

・主人公に、このまま留まることには耐えられない、変わらなければいけないと思わせるものはなんですか？　主人公が失って、取りもどすことができないものはなんですか？　まだ手が届かない喜びはどんなものでしょうか？

・主人公が新しい自分に生まれ変わるための最もドラマチックな方法を考えましょう。古い自分が支配力を持つはずの出来事を想定し、思いがけない瞬間を考えます。主人公が最もあともどりしたくなるのはどんなときですか？　そのあともどりを喜ぶのはだれですか？

・変化を決意するきっかけはなんですか？　主人公にとって、古い自分に固執することよりも大切になったものはなんですか？　読者はどのようにしてそれがわかりますか？　その変化を象徴的に表現しましょう。

人生の移り変わり

ある日曜日の夕暮れでした。九月の最初の週末が終わろうとしていました。わたしたち家族はワインを持って、夕食を屋外で食べることにしました。わたしたちが住むブルックリンのアパートメントの屋上にある一エーカーほどのテラスです。まわりには晩夏の夕暮れの風景がひろがっていました。

西に見渡すマンハッタンの摩天楼がシルエットに変わっていき、無数のライトがまたたきはじめます。イースト・リバーの橋には、光のネックレスがさがり、赤い王冠がきらめいています。頭上にはラガーディア空港に向かって降下する飛行機が見えました。空には風が吹き荒れ、雲は複雑に行き交っていました。

そのとき、西の地平線を覆う雲の切れ間から、神々しい光が差しこみ、放射状に広がって黄金の雲のシルエットが浮かびあがりました。息をのむ光景です。わたしたちはワインを飲み、少し肌寒さを感じながらも、跳ねまわる幼い息子を見守っていました。新学期が迫り、思い出でいっぱいの夏が終わろうとしていたあの日。喧嘩をしながらも、お互いを見つめなおした大切な時間。わたしたちの誕生日ももうすぐでした。

妻に聞いてもらえばわかりますが、わたしがのんびりすることはめったにありません。じっとすわって考えごとをするのは、わたしにとって貴重なことです。けれどもその夕暮れ、わたしは人生の移り変わりを意識している自分に気がつきました。多くの男性が退職を目前とした年齢になっても、自分はまだはじまったばかりだと感じています。息子はやっと小学生になろうとしているところでした。親同士の付き合いとゲームのやりすぎへの小言の日々がはじまります。持っている服を一新し、新しいスーツを買っても、スニーカーは捨てられません。メトロカードを毎月買いつつも、キックボードにも乗りつづけます。仕事、執筆活動、家庭生活のバランスをどのようにとるか悩んでいました。

六〇歳を目前にして、わたしは三〇歳のときのような岐路に立っていました。その夕暮れは何かの終わりであり、別の何かのはじまりでした——うっすらと輪郭がつかめるだけの地図のない世界です。何もかもが変わり、わたしの役割も変わりつつありました。新しい本の構想が頭に浮かんでいました(あなたがいま読んでいるこの本です)。わたしが身を置く出版業界も——いつものことですが——変化していました。わたしは、まだうねりすら起きていない未来の波に乗って、時代を先取りしたいと思っていました。

その夕暮れ、わたしは新しい自分に生まれ変わったのです。なぜこのことを書いたかというと、多くの原稿で、主人公の自己に対する意識が明確にされていないからです。さらに、人生のどの段階にいるかの感覚も描かれていません。人間にはみな、自分だけの歴史があります。あなたの登場人物も同じです。ある段階から別の段階へと移行するとき、読者はそれを感じることができます。

もちろん、移行というものが描かれていればの話ですが。

あなたの主人公は自分の進化をどのように理解しているでしょうか。力強い登場人物は、実在の人物のように感じられるものです。登場人物を真に迫ったものにするためには、その個人的な歴史を作り、成長させていかなくてはなりません。それは、人物紹介や経歴を作成するという意味ではなく、アルバムに貼った写真ではとらえきれない、人生におけるそれぞれの段階を理解するということです。自分に対する理解が発展していくこと、つまり、かつての自分と、いまの自分を認識することは、登場人物の行動と同じくらい、あるいはそれ以上に重要なことです。

ニューベリー賞〔アメリカの権威ある児童文学賞〕に輝いたベストセラー小説、アヴィの『クリスピン』（二〇〇二）の主人公は、父親のいない一三歳の少年クリスピンです。時は一三七七年、荘園領主が支配するイングランドの小さな村ストロームフォードで、クリスピンは母とふたりで貧しい暮らしをしていました。領主のファーニヴァル卿はフランスへ出征しており、残忍な執事ジョン・エイクリフが村人たちを支配しています。クリスピンは、母親の死後、自分が無実の罪で「狼の首」、つまりだれが殺してもかまわないおたずね者にされてしまったことを知り、やっとのことで村から逃げ出します。

クリスピンの出生の秘密がのちに明らかになることで、彼が追われる理由もわかっていきます。

けれども、読者の心を引きつけるのはプロットの展開ではありません。時間をかけて変化していくクリスピンの内面であり、それは、神の計画のなかで自分はひどくちっぽけな存在だと理解することからはじまります。

生活はなにひとつ変わらなくても、星をちりばめた遠い天空のもとで、年月だけは過ぎていく。時は大きな石臼《いしうす》のようなものだ。麦の粒をひくように、ぼくたちをすりつぶし、最後にはひと握りの土に変えてしまう。教会の鐘が一日の時間を知らせ、教会の暦《こよみ》が一年の季節を知らせ、それにしたがって、ぼくたちは毎日の務めをはたす。このくりかえしのなかで、はっきりした区切りといえば、誕生と死だけだ。ぼくたちは闇のなかからやってきて、長い旅をしたあと、また闇に帰っていって最後の審判を待つ。なによりも鋭い神様の視線を受けて、ある者は天国で祝福され、ある者は永遠に消えることのない地獄の炎にあぶられる。

これがぼくたちの送る人生だ。祖先たちの人生も、もちろん同じだっただろう。アダムとイヴのころから、男も女もそうやって生と死をくりかえしてきたのだ。ぼくは心の底から信じていた。これがえんえんとくりかえされたあげく、あるとき大天使ガブリエルが世界の終末を宣言するのだ、と。（金原瑞人訳、求龍堂、二〇〇三年、二三‐二四頁）

逃亡をつづけるなかで、クリスピンは生まれてはじめて自分の力で生きていくことになります。けれども、自立への心構えはまだできていませんでした。

家を離れてこんなに遠くまで来たのははじめてだ。いままでの生活はどこかへ飛んでいってしまった。いままでは、どんなことにせよ、重要な決断を迫られることなんか一度もなかった。なのにいまはなんでも自分で決めなければならない。その結果、ぼくはいまここにいるわけだ。正直いって、この街道を離れるのは不安だ。ぼくの知っているたったひとつの世界とぼくとを結びつける泥の道。遠く離れたらその絆《きずな》も切れてしまいそうな気がする。だいいちほかにいい考えがあるわけでもない。（同、六六－六七頁）

逃亡の途中、クリスピンは、表向きは大道芸人として旅をしている「熊」と呼ばれる大男に弟子入りします。「熊」は父親代わりとなってクリスピンを守り、やがてクリスピンの出生の秘密を知ります。クリスピンはファーニヴァル卿の隠し子で、ファーニヴァル卿が死ねば遺産を相続することができるのです。ただ、クリスピンに富を求めるつもりはありません。「熊」がジョン・エイクリフに捕らえられたとき、クリスピンの頭にあったのは敬愛する「熊」を助け出すことだけでした。クリスピンは、宿敵エイクリフに立ち向かいます。


怒り狂ったエイクリフはぼくに近づき、こぶしを振りあげた。

ぼくは片手をあげ、十字架をかざして盾のかわりにした。

エイクリフはひるんだ。

「どういうことかわかってる」ぼくはいった。

「ファーニヴァル卿は、ぼくの母をストロームフォード村に連れていった。そして母とぼくを村に捨てて、おまえに監視させた。ぼくたちは飼い殺しにされてたんだ。そこへリシャール・ドゥ・ブレイ卿が、ぼくの父親がイングランドに戻ってきたが、もう命が長くないという知らせをもってやってきた。そしておまえに、ぼくを殺せといった。おまえたちはぼくが怖かったんだろう。ぼくが領主になるとまずいことになると思ったんだろう」
エイクリフは答えない。しかしその目を見れば、図星《ずぼし》だとわかる。(同、二八三－二八四頁)

クリスピンは「熊」を助け出し、「熊」はジョン・エイクリフを倒してクリスピンを解放し、クリスピンはもう、だれに拘束されることもない自由な人間だと宣言します。「熊」とともに旅をつづけることにしたクリスピンは、いままで感じたことがない喜びを自分のなかに感じます。

天にいらっしゃる情け深い神のおかげで、ぼくの心はそれまで感じたことがないほどの喜びに満たされていた。ぼくの足に、もう足かせはついていない。これからは、未知の世界を探検しながら自由に生きていくことができる。そう思えるのは、自分のなかに新しい魂が――自由に生きるための魂が生まれたからだ。(同、三〇五頁)

クリスピンの自分に対する理解は、これ以上ないほど劇的に変化します。臆病な農奴だった彼が、自信をつけ、自由を手にするのです。正攻法のヤングアダルト向け冒険小説であっても、若い主人公の人生の移り変わりを見てとることができます。成長、転換期など、どんな呼び方でもかまいません。わたしたちを人間らしく際立たせているのは、変化を経験することだけでなく、変化を自覚し、愛おしむことです。
人間はありのままの自分として生きるしかありません。けれども、自分が何になれるのか、そしてそれがどう感じられるかを見つけるために、わたしたちはストーリーを手に取るのです。

《感情を引き出す技巧　演習問題その27》

人生の移り変わり

・あなたの主人公の人生には、これまでどのような時期がありましたか？　それぞれのはじまりと終わりにはどのような出来事がありましたか？　それぞれの時代のハイライトと底辺の瞬間はなんでしたか？　主人公はそれぞれの時期に何を学びましたか？　学べなかったことはなんですか？　それぞれの時期に名前をつけましょう。
・あなたの主人公は、時間をどのように区切っていますか？　そのシステムを作ります。小説の出来事の展開に合わせてその区切りを見てください。いまはどんな時期にいますか？
・あなたのストーリーがはじまるとき、主人公はどのような段階をあとにするのでしょうか？　それをくわしく説明します。主人公はどのような段階に向かっていますか？　その心にある気がかりをリストアップします。
・ストーリーのどの時点でもかまいません。あなたの主人公は自分を変えることを強いられています。主人公にそれを意識させるものはなんですか？　変化することの何がよいのでしょうか？　なぜ主人公はこのままでいたいと思うのでしょうか？

・最後に、主人公の新しい姿を明らかにします。それをくわしく説明しましょう。新しい姿で変わっていないもの、まったく変わったものはなんですか？　主人公の世界のなかで、いままでとちがった見方をしているものはなんですか？　けっして変わらないものはなんですか？

小説家のためのニュートンの法則
——登場人物がお互いにもたらす変化

「ニュートンのゆりかご」を知っていますか？　五つの小さな金属球をブランコのように枠から吊りさげた置物です。球は静止した状態で五つが互いに接触するように吊るされています。外側の球をひとつ引っ張って離すと、そのエネルギーは球を通じて伝わりますが、中間の三つの球は動きません。けれども、反対側の端の球は、最初の球を持ちあげたのとほぼ同じ高さまで飛び出します。

物理学の観点から説明すると、外側の球が衝突することによる運動エネルギーが衝撃波として、中間の球を伝わっていきます。エネルギーは熱の発生によって失われますが、球が冷たい鋼鉄でできているため､損失が最小限に抑えられます。ニュートンの運動の法則（F=ma）がみごとに実証されています。高校の授業で習ったことを全部覚えていなくても、ニュートンが何か基本的なことを解明したことはご存じのはずです。

小説家にもニュートンから学べることがあります。ニュートンの第一法則は、物体が運動しているとき、外部から力が加わらないかぎり運動をつづけるというものです。ニュートンの第二法則は、物体の加速度は加えられた力の大きさに比例し、物体の質量に反比例するというものです。第三法則は、運動している物体が他の物体にぶつかると、他の物体から同じ大きさの力を逆向きに受けるという、作用反作用の法則です。

小説の技法とどのようなかかわりがあるか､すぐにわかるはずです。主人公を行動させれば､障害にぶつかるまで動きつづけます。そのとき何が起こるかは、主人公の動機がどれだけ切実であるか（つまり、どれだけの強さで動いているか）と、障害の大きさ（質量）によって決まります。けれども、最もわたしの興味を引いたのは、ニュートンの第三法則です。主人公がだれかとぶつかると、その相手は押し返すか動くしかありません。

どう反応するかは、主人公ともうひとりの人物の力の大きさ、軌跡、速度によって異なります。主人公の動きにつれて、相手のキャラクターは、じっとしているか、揺れ動くか、倒れるか、あるいは打ちのめされるかもしれません。それは場合によります。大事なのは、変化する主人公はかならず他者に力を及ぼし、その逆もまた同様であるということです。そうでなければ、物語に何かが欠けていることになります。

　登場人物はすべて、ある意味で、ビリヤードの球のように、物語というビロードの表面で互いにぶつかり合います。ここに、ニュートンの法則があてはまります。主人公はほかの人物と、お互いをつねに変化させていくのです。

　アイザック・ニュートンがそう言っているのですから、まちがいありません。

ロージー・トーマスの『イリュージョニスト』（二〇一四／未訳）は、カリスマ性を持ち、自信過剰なデビル・ウィックスと名乗る奇術師を中心としたヴィクトリア朝末期の演芸場を舞台とした物語です。この小説には、芸術家のモデルで生計をたてるイライザ・ダンロップ、小人の奇術師カルロ・ボルドーニ、からくり人形やマジックの装置を作るハインリッヒ・ベイヤー、劇場の清掃係からのちに俳優となるジェイキー、その他、悪徳劇場主、パフォーマー、支援者、女家主など、さまざまな人物が登場しますが、多くがデビル・ウィックスの軌道に引きこまれます。

　デビル・ウィックスを知ることでだれもが何かしらの変化をとげ、デビルはイライザによって変わります。イライザはデビルを自分の過去と向き合わせ、やがて彼と結婚します。清掃係のジェイキーは、自分が同性愛者であることと、デビルへのかなわぬ思いに悩みながらも、俳優としての力量を発揮し、上昇気運に乗っています。変わることに最も抵抗を示すのは、デビルの片腕である小人のカルロです。彼はすぐれたパフォーマーであり、劇場の最大の出し物《イリュージョン》の鍵を握っていますが、自分の外見に悩み、病と飲酒、そしてデビルへの嫉妬によって弱っていきます。

　デビルが周囲に及ぼすさまざまな影響が浮き彫りになる場面を読んでみましょう。ある夜、劇場での公演を終えたジェイキーは、酒に酔って自己憐憫にふけるカルロに出くわします。ジェイキーはカルロに対して、もっと恵まれない人間はいるとなぐさめます。

「もっと恵まれない人間はいる、か」カルロは繰り返した。「おれは宿なしの貧乏人じゃないってか。雨露はしのげる、腹をすかせちゃいない、仕事らしきものもある。たしかにそうだ。だが、おれは小人だ。ほかの男をまともに見ることができるのは夢のなかだけだ」

「じゅうぶん恵まれてますよ。ダンロップ嬢という友達だっているでしょう」

「ああ、友達かもな。ジャスパーやハインリッヒにとっても友達だ。おまえだってそうだろう。ちがう扱いを受けられるのはデビル・ウィックスだけだ。おれの言う意味がわかるだろう」

ジェイキーは反論せず、悲しげに目を伏せた。

カルロはあごを突き出した。「ダンロップ嬢に惚れてるってわけか」

「いいえ。でも彼女はきれいなだけでなく、やさしい人だと思います。ウィックスさんをきらいなのは、彼女との仲のせいですか?」

「生意気な口をきくなよ、小僧。おれはやつのことはきらいじゃない。だがあの姿を見るのが耐えられないんだ。あの笑い顔と長い脚、それに、自分が誇らしくてたまらないとでも言いたげな振る舞いがな」カルロはこう言い放つと、その勢いで立ちあがる気になったようだった。だが、どうにか立ちはしたものの、激しくふらつき、ジェイキーがあわてて支えなければ、頭から倒れるところだった。

「気をつけてくださいよ」ジェイキーは注意した。

カルロは舞台の幕を揺らすほどの勢いで、ため息をついた。「ああ、気をつけるさ。おれの世話を焼こうってやつなんかいやしないからな」。

ジェイキーは耐えきれず、カルロの肩を揺さぶった。

「自分を哀れみすぎですよ。変えられないことに腹を立てても空しいだけじゃないですか。たしかにあなたは小柄かもしれませんが、あなたの代わりになりたい人間は大勢います。自分がどこにいるかわかってますか？　これが見えないんですか？」

舞台を囲むアーチ、そして、柱や金箔を貼ったボックス席の前面が闇に包まれた劇場の奥をジェイキーは指さした。悪意のある息づかいは消え、ジェイキーのやつれた顔は素直な敬愛の念で輝いていた。「この劇場、そしてここでやる芝居や奇術は、あなたとウィックスさんが築いてきたものでしょう。町の人たちが喜びとロマンを感じるものから、あなたは日々の糧を得ているんですよ」

ジンに酔って感傷的になっていたカルロは、この叱責を感じとった。

ようやくカルロは言った。「ああ、そうかもしれない。おまえは頭がいいやつだな」

デビル・ウィックスは、カルロとジェイキーをともに変えました。ふたりの人生はデビル・ウィックスとかかわることで確実に変わった一方、短いあいだとはいえ、お互いを変えてもいます。ジェイキーとカルロはお互いに究極的な解決をもたらすことはできませんが、物語において重要なことは、登場人物がそれぞれほかの人物に影響を与えているのが読者にわかることです。

ストーリーを語るうえでも物理的な力が働きます。それは、人間がかかわり合うことによって起こる避けられない力です。ニュートンの法則は、つねに正しいからこそ法則なのです。あなたの原稿にもニュートンの法則が働いていますか？　そうでないなら、もう一度見なおしてみましょう。

《感情を引き出す技巧　演習問題その28》

登場人物がお互いにもたらす変化

・いま書いている場面を見てみましょう。主な登場人物ふたりはだれとだれで、どのようなことで対立していますか？　どちらが勝ち、どちらが負けますか？　さらに深く掘りさげます。勝つのがどちらにせよ、あなたの視点人物はこの場面でどのように変化しますか？　それをことばで表します。

・チャートを作成します。あなたの主人公がかかわる多くの登場人物をあげてください。主人公の自分に対する見方、他人に対する見方、プロットの問題点、一般的な人間観、生き方、モノポリーの戦略に至るまで、それぞれの人物があらゆることにどのように影響を与えるかをチャートにくわしく書きこみます。

・主人公以外の登場人物のなかから三人選びます。主人公と出会うことで、それぞれの人物がどのように変化したかを書き記します。それぞれについての結果を考えましょう。あなたの主人公を知ったことで、それぞれの登場人物の行動はどのように変わりましたか？

・あなたの主人公の旅全体で、予想外となった結果をひとつあげてください。それがどのように波及して、多くの人間に影響を与えることになりましたか？　それを表現します。

名前のない感情

人生のはかない美しさ。その皮肉なめぐり合わせ。女と男。言い表せない恐怖。ことばでは表現できない激しい恋の痛み——。

名前のない感情をかき立てること以上にすばらしい技巧はありません。読者がそれを感じるとき、それは魔法であり、純粋な人間のつながりであり、無言でありながら強い共感が、心から心へ直接伝わります。まるで、ずっと前からお互いを知っている恋人たちが視線を交わすときのようです。ことばは必要ありません。表情がすべてを物語ります。

名前のない感情的な経験には、暗いものもあります。明かりをつけたままで、身震いし、人間の恐ろしいまでの残酷さに打ちのめされるとき、わたしたちははっきり説明できないけれども、分類できるどんな感情よりも大きなものを感じています。神の存在を感じるときも同じです。それは、謙遜、喜び、驚き、畏怖といったことばでは言い表せない感情です。
皮肉なことに、小説の世界では、名前のない感情を理解させる方法はただひとつ、ことばしかありません。それはどのように機能するのでしょうか？　名前のないものを、どうやって名前をつけずに呼びさますのでしょうか？　その感情をはっきりとかき立てる必要があります。ここで考えているのは語ることではなく、最高の形で見せることです。

ことばにならない感情を呼びさますのにまったく効果的でない方法は、含みのある間合いや、「意味ありげな」表情、あるいは、肩をすくめたりそっけなく手を振ったりするようなジェスチャーです。このような使い古された方法は、ほとんど効果がありません。鼻をならしたり、うなり声をあげたり、いらいらと怒鳴ったりすることも効果がありません。裏を返せば、すぐに思いあたるような、わかりきった感情なら、わざわざ呼びさます必要もないのです。そこに魔法はありません。驚くべきことがなければ驚きは生まれません。

わたしたちが求めているのは、うまく説明はできないながらも、自分でも同じ感情を持ったことがあると確信するような、ことばに表せない感情を呼びさます技巧です。特別な感情は、ある状況に特有のものです。花火のようにパッと明るく燃えあがり、すぐに消えてしまいます。けれどもそのあとには、たしかにあったはずなのに、伝えることも再現することもできない興奮や恐怖のような、つかみどころのない痕跡が残ります。

M・L・ステッドマンのデビュー作『海を照らす光』（二〇一二）の主人公は、オーストラリア沖の絶海の孤島で灯台守となった第一次世界大戦の帰還兵、トム・シェアボーンです。妻イザベル、そして、海岸に漂着したボートに乗っていた赤ん坊ルーシーが、彼の人生を変えていきます。小説の序盤で作者のステッドマンは、灯台をのぼって海を見渡したときのトムの複雑な内面をとらえ、トムが孤独な環境で暮らす理由を説明しています。

初めて、目に映る風景の広大さに圧倒された。数十メートル真下に、断崖に打ち寄せる波のしぶきが見え、塔の高さに目眩《めまい》がした。波はどろりとした白い絵具のように飛び散り、表面を覆う泡がときどき途切れると、その下に群青色《ぐんじょういろ》が見える。島の反対側には、波を遮る夥《おびただ》しい数の岩が並び、岩の内側に浴槽のように静かな潮溜まりができている。自分が大地にいるのではなく、空から吊り下げられている感じがする。ゆっくりと回廊をひと回りしても、周囲一面になんの変化もない。これほど大量の大気を肺に吸い込んだことはなく、これほど広大な風景を目にしたことはない。音を立ててうねる海の音を聞いたことはない。一瞬、宙に浮いている気がした。

瞬きを繰り返し、頭を横に激しく振った。体がくるくると旋回している気がし、急いで意識を心臓の音に集中させ、両足でしっかりと立っていることを確かめた。背筋をしゃんと伸ばした。灯火室の扉にある小さな点――扉を開け閉めするのに必要な蝶番《ちょうつがい》――を見つめ、そこから始めることにした。堅牢なもの。なにか堅牢なものに意識を集中しなければだめだ。そうしなければ、錘《おもり》のない風船のように、魂や心が吹き飛ばされてしまう。血と狂気に満ちた四年間を通して彼が理解したのはそのことだけだった。退避壕の中で十分間まどろむときも、自分の銃がどこにあるか正確に知っておくこと。絶えずガスマスクをチェックすること。

部下が命令を正確に理解しているか確認すること。数年先、数ヵ月先のことは一切考えないこと。いまこの瞬間、次の瞬間のことだけを考えること。それ以外は推測に過ぎないのだ。

トムは双眼鏡を構え、他の生き物がいる徴《しるし》を探そうとした。羊、山羊を目視し、数を数えたかった。堅牢なものにしがみつくのだ。磨かなければならない真鍮の刳り形、洗い清めなければならないガラス――まずは灯火室の外側のガラス、それからプリズム。油を差して歯車の歯を滑らかに動かし、水銀を注ぎ足して灯りをするすると回転させるのだ。そうした考えのひとつひとつを摑み寄せた。梯子の横棒を摑んで、自分を繋ぎとめるように。命を繋ぎとめるように。（古屋美登里訳、早川書房、二〇一五年、四七－四八頁）

トムはいったい何を感じているのでしょうか。ひと言で表すのは、おそらくむずかしいはずです。まさにそこが問題です。トムの心は戦争によって深く傷つき、塹壕での記憶にいまも苦しめられています。眼下にひろがる海は、あまりに広大で頭のなかに取りこむことができず、トムはパニックを起こします。自分を落ち着かせるためには、ゆるんだドアの蝶番のような、手近にある小さなことに集中するしかありません。

この一節は、海、岩だらけの島の海岸、波、泡、銃、ガスマスク、戦闘命令、山羊、羊、真鍮の金具、油、ガラス、プリズムに焦点をあてています。けれども、ステッドマンが実際に描いているのはなんでしょうか。それは、トムという人間、そして彼が感じている「すべては空虚である」ということです。

このように、イメージが小さくて具体的であればあるほど、視点人物のことばにされない感情が普遍的で広がりのあるものになっていきます。小さな視覚的な細部が、目に見えない大きな感情に変わるのです。

《感情を引き出す技巧　演習問題その29》

名前のない感情

・あなたのストーリーで、主人公が行き詰まっている、窮地に立たされている、決心がつかない、打ちのめされている、あるいは、前へ進む手段がないのに心が欲求でいっぱいである、そんな時点を見つけます。

・主人公の心を奪うものを、その周辺で見つけましょう。この対象は、ポジティブなものでもネガティブなものでもよく、その両面があればなおけっこうです。それに対する主人公の不満と満足をくわしく書きましょう。よい面と悪い面、美しい面と醜い面、有意義な面と空虚な面を見定めます。具体的に書きましょう。主人公ではなく、この対象物に焦点をあてます。

・最後に、この瞬間には何も変わっていないことを確認します。不和は解消されず、混乱は片づかず、美しさは見すごされ、不平は聞き届けられず、真実は無視されて、あなたの主人公はなすすべもなく、何もしないほかの人間を見ているしかありません。それがどんなものであれ、ただ存在するのみなのです。

――

ここでわかるのは、名前のない感情には、実際には名前があるということです。ただ、こうした感情は、矛盾があり、重層的で、複雑なものであり、描きされないものの描写ではなく、何かほかのものを観察することによって浮かびあがります。ですから、形のないものの前に何か堅牢なものを置き、それをくわしく書く必要があります。形がないものを無関係な何かに投影することで、ぼんやりとしていた存在が確固とした現実的なものとして浮かびあがるのです。

わたしたちはみな、人生のはかない美しさを感じたことがあります。主人公が別のものについて語ることで、そのはかない美しさがとらえられたとき、読者もそれを感じます。実際には、すべての感情に名前があります。簡単に分類するには複雑すぎると思わせること。それが技巧です。

第 7 章

作家の心の旅

The WRITER'S EMOTIONAL Journey

わたしは多くの作家に会います。それは仕事であると同時に楽しみでもあります。作家はわたしの仲間です。習得するのがきわめて困難な芸術形式にめげることなく取り組んでいる人たちです。作家は情熱的で、洞察に富み、協力的で、賢明です。人生には意味があり、作家はそのことを理解しています。ある者は不自由なハンディを乗り越え、全員がこの仕事をするために何かを犠牲にしてきました。

作家個人にもすばらしいストーリーがあります。なかにはびっくりするような体験をした人もいます。不思議なのは、経験豊富にもかかわらず、劇的という点で実体験よりはるかに劣るストーリーを書く作家が多いことです。

どうしてそんなことが起こるのでしょうか。

おそらく、ストーリーを構想しているときに警戒心が働いているのでしょう。真剣に受け止めてほしいという欲求が、自発的で遊び心のある、より自然な衝動を押さえつけているのかもしれません。または、劇的なストーリーの出来事を、ばかばかしい、ありえない、信じがたいと思われることを懸念しているのでしょうか。そんなことはないという証拠はいろいろあるのに、それでも多くの原稿が小さくまとまっているように感じます。それ以外の原稿はまさにその逆です。すなわち、高すぎるコンセプト、壮大すぎるプロット、立派すぎる登場人物など、現実とはほど遠いものばかりです。

しかし、作家の経験と執筆するストーリーにずれが生じるのは、もっと深い理由があると、わたしは考えています。多くのフィクション作家は、自分の仕事に価値があると思っていません。すばらしいストーリーを書くことは、そのほかの作家――生来の天才や、なんらかの賞の受賞者、生まれつきすぐれた才能を持っている人々――だけに許されることだと思っているのです。

いいですか、そんな考えはばかげています。偉大なストーリーテラーは切れ者で、直観に長けた人たちですが、わたしが出会うおおぜいの作家より抜きん出てすぐれているわけではありません。偉大なストーリーテラーたちは、生まれつきお金があるわけでもなく、上等な教育を受けたわけでも、たくさん苦悩しているわけでも、学習スピードが速いわけでもありません。彼らにあってほかの人にないものは、ページ上でありえないような離れ技をやってのける、それもうまくやりとげてみせるという自信です。何よりも大事なのはストーリーだと思っているので、初版部数やレビュー、アマゾンのランキング、ナショナル・パブリック・ラジオのインタビューなどを気にかけません。また、持ち前の技術と能力をストーリーに注ぎこんだから成功したのだと自負していて、報酬を印税ではなく、自分自身の満足感に見出します。

この説明には、売れない作家もたくさんあてはまると思いますか？　そうかもしれません。わたしもこのタイプの作家とよく会います。すぐれた物書きでありながら、失望し、冷淡で皮肉っぽくなり、タイミングやチャンス、コネといったことをやけに気にするようになった人たちです。実を言うと、作家がそんなふうに考えて執筆すると、それが作品に表れます。小説が皮肉や怒りの仮面をかぶっていることを感じとれます。たとえ読みやすくても自意識過剰が鼻につき、その精神は反抗的で、どこか必死に思えます。シニカルな文章は、無理をしています。

あなたが机上に持ちこむ精神は、ページを汚染するものか、それとも活気づけるものですか？　ストーリー上の出来事は、憂鬱になるものか、それとも興奮するものですか？　登場人物は、読者を奮い立たせるか、それとも無関心にさせますか？　そのちがいは、どんなストーリーを書くことにするかではなく、あなた自身から生じるものです。あなたが心で感じていることが、わたしたちが読むときにどう感じるかを決めます。

こんなふうに考えてみてください。服装や握手、アイコンタクト、何気ない態度などから、その人がどんな人物なのか、一瞬でわかることがありますよね。あなたが書く文章も同じです。内面がすぐにあらわになります。

小説を書きだすと、登場人物の旅がはじまりますが、作者の旅もはじまります。登場人物はシーンごとに成長します。そのシーンを書いた日、作者も成長します。登場人物は、希望や意欲や勇気を持っています。少なくともそうであってほしいと多くの作者は思っています。あなたはどうでしょう。あなたも希望や意欲や勇気を持っていますか？

直接会わなくても、わたしにはその答えがわかります。

ある意味、小説を書くうえで最も重要な作業は、自分自身に取り組むことです。書くことがいかに困難であるかはだれもが知っています。作家の閉塞状態、絶望、嫉妬、矛盾する役割、崩壊、回復、インスピレーションの維持方法などを説明するブログ記事はいくらでもありますが、わたしが言っているのはそういうことではありません。取り組むべきなのは、あなたの根本にある展望、前向きな精神、善意を容認する心、人間性に対する信頼です。やがてそれは、寛大な気持ちとして表れます。執筆仲間をサポートするという意味ではなく、あなたの登場人物に力を与え、彼らの心を期待で満たすことになります。

小説を読んで恐怖を味わいたいと思う人はいても、けっして落ちこむために読んでいるわけではありません。挑まれたいとは思っても、潰されたくはありません。娯楽として読んでいても、勇敢な気持ちは持っています。そして、感情をかき立てる体験を求めると同時に、前向きな気持ちで読み終えたいと思っています。

こんなふうに書くと、まるで読者にこびているように思えるかもしれませんね。ですが、実のところわたしは、善良で、前向きで、感動的な人間であるあなたに訴えています。安易に読ませるものではなく、ベストを尽くしたストーリーをわたしに読ませてください。そうすると、それがエージェントとしてのわたしのベストにもなります。人情があり、心をつかむ、善意に満ちたストーリーにすると、作品が安っぽくなると思っていませんか？　そんなふうに考える人はほかにもいますが、わたしはそうは思いません。

読者を高揚させることの何が悪いのでしょうか。いけないことなど何もありません。小説には物事がどうであるかが書かれていますが、それだけではなく、物事をどうすることができるかも示されていますよね？　あなたが書いている小説は単なる報告書ではないはずです。小説はビジョンです。人生における困難、一大事、希望、美しさを大いに賛美するものです。

さらに、あなたが生み出す主人公は、わたしたちです。脇役の人物像は、わたしたちを人間たらしめる、あらゆる条件を網羅します。舞台は、丁寧に描写され具体的なので、それがどこであってもおかしくありません。あなたの声は、わたしたちの時代の声です。あなたのテーマは、わたしたち全員にとって重要です。壮大で、寛大で、自信に満ちた小説は、そうそうめぐり会えないものですが、それがあなたの小説でもおかしくありません。

精神の大らかさは、生まれつきのように思えるかもしれませんが、ストーリーを創作するのと同じように、実践を重ねることで習得できます。ひとつの選択肢にすぎません。では実際に、どうすれば自分の最もよい部分をページに表現できるのか、いくつかの方法を考えてみましょう。

ポジティブな精神

ストーリーには意図があり、意図には雰囲気があります。雰囲気は、読者の期待を生み出し、物語の方向性を決定するシグナルを発します。シグナルは作者の考えを代弁していると言えますが、より正確には、主人公のページ上でのふるまい、話し方、思考、感じ方から発せられます。

あなたの主人公は自分のことをどのように見ていますか？　そう尋ねられたら、主人公は自分のことを、欲求があり、果敢に挑み、責任感があり、能動的だと思っていると答えるのではないでしょうか。それなのに、なぜ多くの主人公は、苦悩し、無力で、弱く、迷っているように見えるのでしょう。わたしの言うことが信じられないのであれば、わたしのもとへ送られてくる原稿の山を読むか、近所の書店へ駆けこんで、棚に並んでいる本を立ち読みしてみてください。多くの主人公は、同情の精神に照らされることなく、悲壮感に満ちています。

わたしが読むストーリーの多くは、悲哀《ペーソス》の土台の上に成り立っています。こんなに悲しいことがあります、でも主人公は立ちあがり勝利します、そのようすをご覧ください――これでいいように思えるのですが、実は、こうした作者は心の底では、わたしたちはみな無力だと思いこんでいます。実質的に、「かわいそうなわたし」と言っているようなものです。この作者のストーリーの精神は自己憐憫です。

同情はペーソスとはちがいます。「かわいそうなわたし」ではなく、「かわいそうなあなた」です。プロット上の境遇が悲劇的だったり、個人の旅が困難になったりすると、同情が沸き起こりますが、ずっと挫折したままだと、人は同情しません。ペーソスは絶望に根ざし、同情は希望に根ざします。同じ物語でも、読者にはどちらの感情も伝えることができます。読者に心配を強いることも、信じる気にさせることも可能です。

登場人物がどのようにストーリーを体験するかが、ひいては読者がどのように小説を体験するかを決定します。

あなたの主人公はどんな精神の持ち主ですか？　ポジティブそれともネガティブでしょうか。障害が発生したとき、主人公は他人と自分のどちらを責めますか？　主人公のいちばんの気がかりは成功できないことですか？　主人公を取り巻く主だった要素は、支援それとも苦痛でしょうか。多くの主人公が根本的にネガティブです。こうした主人公は、ある種の緊張を生み出すことはできても、読者を鼓舞することはできません。

考えてみてください。最悪の事態を想定し、真実に抗い、憤り、他人を責め、自分を責め、問題に集中し、自信喪失に苦しみ、つねに比較し、苦悩し、執着し、行き詰まり、退屈し、完璧を求め、被害者意識がついてまわり、物事を成りゆきまかせにし、幸運をただ待っている人がいるとします。こんな人に意欲をかき立てられると思いますか？

そんなことないですよね。

では、これまであなたの気分を高揚させた精神の持ち主について考えてみてください。そうした人々は、物事を最善にし、過去を忘れ、感謝し、限界よりも可能性に目を向け、現在に生き、前もって計画を立て、恐れ知らずで、にこやかで、コミュニケーションをとり、後退を受け入れ、許し、自立し、人生に責任を持ち、変化を起こし、粘りづよく、人生が投げかけるあらゆることに興味を持ち、おもしろがりもします。ポジティブな人にもネガティブなことは起こりますが、ポジティブな人は前向きでいられます。

あなたの登場人物もポジティブにすることができます。小説家ならだれでも、主人公に長々と不平をこぼさせないほうがいいことを知っています。ですが、主人公は外側の問題に取り組み、内面で奮闘しなければなりません。その奮闘が、しばしば度を越しています。主人公はのんきに人生を歩んでいくべきだという意味ではないのですが、陰鬱でネガティブな展開は読んでいて疲れます。医学的に見ても、幸せな人生を送りたいなら、ネガティブなことはお勧めできません（信じられないなら、バーバラ・フレデリクソン博士の『ポジティブな人だけがうまくいく3：1の法則』を読んでみてください）。同じことがストーリーにも言えます。ネガティブが過ぎると、読者は興味を失い、もちろん売上げにも影響します。

誤解しないでください。わたしは、失望や最悪の状態、またはプロットが破滅へ転換することに反対していません。ただ、記憶に残り、最も思い入れのある登場人物は、わたしたちを鼓舞することが多いのはたしかです。読者の気分を高揚させる最も確実な方法は、ポジティブな精神を持つことです。登場人物はもちろん、あなたも持つ必要があります。

エドガー賞〔エドガー・アラン・ポーにちなみその名がつけられた、一九四六年創設のミステリー・ジャンルの賞〕を受賞したベン・H・ウィンタースの犯罪小説『地上最後の刑事』(二〇一二)は、陰鬱な前提を持つ作品です。巨大な小惑星「マイア」が地球と衝突する軌道にあり、あと半年ほどで世界は滅亡します。言うまでもなく、人類は幸せではありません。企業は倒産する。賃金や物価の統制がおこなわれる。銃は非合法化され、大麻は合法です。宗教に熱狂する者、自殺する者があとを絶ちません。ニューハンプシャー州コンコードでは、最近刑事に昇進したヘンリー・パレスが勤務しつづけています。すでに営業していないマクドナルドの店舗のトイレで自殺があり、パレスは不審に思います。署にもどると、残された同僚刑事たちの疑心暗鬼と無関心に直面します。


期待をふくらませたカルバーソンが、両眉をあげて待っている。「で、パレス刑事?」

「むずかしいですね。そうだ、みなさん、ベルトをどこで買いますか?」

「ベルト?」アンドレアスが自分の胴を見おろしてから、顔をあげる。ひっかけ問題かと疑っているかのよう。「ぼくはサスペンダーだからね」

「ハンフリーズという店」カルバーソンが答える。「マンチェスターの」

「アンジェラが買ってきてくれる」そう言うマガリーは、足をあげてうしろに寄りかかり、いまはスポーツ欄を読んでいる。「パレス、いったいなんの話だ?」

「事件のことを考えてるんです」いまは私のほうを見ている全員に説明する。「けさ、マクドナルドで見つかった死体のこと」

「首吊りだったんだろ」マガリーが口をはさむ。

「いまのところ、不審死と私たちは呼んでいます」

「私たち？」カルバーソンが言い、私の顔を意味ありげに見て、にやにやしている。いまもアンドレアスはマガリーのデスクのそばに突っ立ったまま、額に片手をあてて、新聞の一面に見入っている。

「索状物は黒いベルト。バックルに〝B＆R〟と書いてありました」

「ベルクナップ・アンド・ローズだな」カルバーソンが解説する。「待てよ、おまえはこの事件を殺人で捜査しているのか？あんな出入りの多い場所で殺しとはな」

「ベルクナップ・アンド・ローズ、そこなんです。それ以外は、被害者が身につけていたのは目だたないものばかりです。地味なベージュのスーツは既製品だし、わきの下に染みのある古いワイシャツ、左右ふぞろいのソックス。それに彼自身のズボンには、安物の茶色のベルトが締めてありました。でも、索状物はちがう。本革の手縫いです」

「そうか」カルバーソンが相槌を打つ。「じゃあ被害者はB＆Rへ行って、自殺用に高級ベルトを買ったんだ」

「一件落着」マガリーが合いの手をいれて、新聞をめくる。

「そうでしょうか？」私は立ちあがる。「たとえば、私が首を吊ることにしたとする。私はふつうの男で、通勤着はスーツですから、ベルトを何本か持っているはずです。わざわざ車で二十分もかけて、マンチェスターの高級男物洋品店へ自殺用のベルトを買いに行くでしょうか？」

いまの私は、口髭をなでながら、背中を丸めて、デスクのそばを行ったり来たりしている。

「たくさん持っているベルトのどれかを使えばいいのに?」

「人それぞれだからな」カルバーソンが言う。

「そんなこと」あくびをしながらつけくわえたのはマガリーだ。「どうでもいいじゃないか」

「たしかに」私は答えて、椅子に戻り、青いノートをまた手に取る。

「そうですね」

「パレス、おまえはまるでエイリアンだぞ、わかってんのか?」マガリーが言う。すばやく手を動かしてスポーツ欄を丸めたと思ったら、私の頭でそれが跳ねた。「べつの惑星とかから来た宇宙人みたいだ」（上野元美訳、早川書房、二〇一三年、二七－二九頁）

パレスがこの件を追う必要があるのかというと、そんなことはありません。地球上の全生命があと六か月で終了するのに、どうでもいいではないですか。しかし、不審死の状況が、ベルトのことが引っかかっています。パレスは真実を知りたいと思っています。大量絶滅の恐怖にとらわれている世界で、その欲求は一種の狂気なのでしょうか?　そうかもしれません。しかし、気にしなくていい理由がいくらあっても、パレスは自分の仕事に専念しつづけます。作者のベン・H・ウィンタースはそうは思わないでしょうが、わたしはこれをポジティブだと思います。ヘンリー・パレスにとって、真相は終末を迎えるときであっても重要なのです。最後に至るまで闘う価値があるものは存在します。

これがポジティブな精神でないとしたら、何がそうなのかわかりません。

《感情を引き出す技巧　演習問題その30》

ポジティブな精神

・主人公の最悪の状態を選びます。何が起こっていますか？　それはどんな挫折ですか？　なぜそれが壊滅的な打撃を与えるのですか？　その不幸がほかのどの不幸ともちがう点は？　それをくわしく描写します。そこから独特なものを見つけ出します。

・視点を加えます。なぜそれを気の毒に思うことが、よしとされているのでしょうか。以前は隠れていたけれど、はっきりと見えるようになったこと、または理解できるようになったことはなんですか？　だれの経験を理解できるようになりましたか？　どんな真実が支持されますか？

・主人公が思い描く、未来のいい一日とはどんな日でしょうか。「もっといい日が来る、でもそれはいまじゃない」ことを、主人公はどんなかたちで表現しますか？

・アクションを加えます。起こったことに対する反応として、主人公は何ができますか？　慰めになること、創造的なこと、寛大なこと、大きなことでしょうか？　実行に移しましょう。

・きょうのあなたの気分はいかがですか？　落ちこんでいる、落胆している、怯えている、不安を感じている、疲れている、うらやんでいる、行き詰まっている、自信がない、等々でしょうか？　気分を変えてみましょう。深呼吸する、瞑想する、緑茶を飲む、ジョギングする、ポジティブなことばを使う、いやなムードを振りはらい、興奮し、力をみなぎらせ、勇敢に、唯一無二に、幸せに、感謝にあふれ、好奇心旺盛に、創造的になりましょう。
・安全速度を守って書くだけでなく、暴走します。枠にとらわれず、いま執筆中のシーンで自分自身を驚かせましょう。
・その執筆中のシーンで、主人公の気分はいかがですか？ 無力、攻撃を受けている、抑圧、はぐらかす、不安定、追いこまれている、こんな状態になっていませんか？ その気分をひっくり返します。主人公が有能で、困難に立ち向かい、計画性があり、選択肢があり、断固とした態度をとり、結果に影響を与えられることを、行動や発言で示します。
・そのシーンで、いったん手を止めて、クールなもの、すてきなもの、美しいもの、人間味あるもの、変わっているものを主人公に称賛させます。
・そのシーンで、いま起こっていることはいいことだと、主人公に感じさせます。
・そのシーンで、主人公が何かを変える手段を見つけます。
・そのシーンで主人公が不利な状況に陥った場合、主人公がひたむきに立ち向かい、困難を払いのけ、前を向き、覚悟を決める方法を考えます。
・そのシーンで、主人公にとって物事が首尾よく運んだ場合、それをあたりまえと思わず、もっとうまくやろうと決意し、ほかの人に手を差し伸べ、お返しする方法を考えます。

何を思いつきましたか？ これらの新しい要素のなかに、シーンのプロットや結果を変えるものがありますか？　主人公の内なる奮闘や、欠けているものを満たす旅を邪魔するものはありますか？　主人公のかすかなポジティブの徴候が、あなたを遠ざけることはありませんか？

わたしは、そうではないほうに賭けます。ポジティブな人とはそういうものです。人は、ポジティブな人のそばにいたいと思うものです。ところで、わたしはだれのことを話していると思っていますか？　主人公もしくはあなたのことでしょうか。答えは明らかですよね。主人公はどのシーンでも難局を乗り越えることができますし、どの場面を書いているときのあなたも同様です。わたしはそう確信しています。

感情の鏡

あなたが書く登場人物は、あなたですか？　ある意味、そうにちがいありません。結局のところ、あなたの心と想像力が生み出したわけですから。登場人物は、あなたの性質、経験、欲求、恐れ、信念の産物です。登場人物に課す葛藤は、定義によれば、あなたにとって重要な葛藤でなければなりません。登場人物の人間関係、彼らがいだく感情や価値観、その変化は、あなたが重要だと思うものでないといけません。当然です。そうでなければ、なぜ彼らのことを書くのでしょうか。

むかしからよく、「自分の知っていることを書け」と言われていますが、自分についてのことなら、ほかのだれのことよりよくわかっているはずです。

しかし、ほんとうにそうでしょうか。

「汝自身を知れ」という格言は古代ギリシャ時代にさかのぼりますが、それと同じくらい長いあいだ、わたしたちは自分自身から隠れ、自分に嘘をつき、自分の欠点に目をつぶり、他人のせいにし、抑圧し、合理化し、正当化し、否定し、過信し、演じ、仮面をかぶり、そのほかにも多くの方法で自分から逃げてきました。心理療法に何年もかかるのも無理はありません。

フョードル・ドストエフスキーは、「自分自身に嘘をつくことは、他人に嘘をつくよりも根深い」と言いました。これを人間の本性だと見なしてしまうこともできますが、小説を書く場合、自分自身と向き合うことを拒むのは危険をともないます。つまり、登場人物ともきちんと向き合えなくなります。

これまで、現実味のない人物が登場する小説を読んだことがありますか？　ステレオタイプなキャラクターやボール紙の切り絵のような登場人物に出会ったことは？　登場人物の選択があまりにも都合よくできていると感じたことはありませんか？　登場人物が本物らしくないのは、作者が彼らを抑制し、封じこめ、安全に箱詰めしておきたいと思っているからです。登場人物を囲いこむことで、作者は混乱したり、落ち着かなかったり、恥ずかしかったり、守りにはいったり、未熟だったり、もがいたり、悲しかったりする感情を避けることができます。

本物らしい登場人物は、あなたが自分自身と真剣に向き合ったときに根づきます。自分自身に正直になり、力を与えることで、あなたが創造する人物に信憑性が生じ、力を存分に解放できるようになります。

どうしたらこれを実現できるのでしょうか。答えは簡単です。登場人物たちに助けを求めましょう。

《感情を引き出す技巧　演習問題その31》

感情の鏡

・小説をある程度の分量まで書き終えたら、窓のない静かな部屋で主人公とふたりきりになることを想像します。ふたりでゆったりとした椅子に差し向かいですわっています。時間はたっぷりあり、リラックスした雰囲気です。身がまえることもありません。あなたは主人公と話す機会を得たことに興奮し、主人公はあなたと話ができることを感謝しています。

・主人公に、作者であるあなた自身について何かほんとうのことを話してほしいと頼みます。主人公はなんと言いますか？

・主人公につぎのように尋ねます。もしこのストーリーのなかでなんでもできるとしたら、それはなんですか？　わたしがさせないことで、やりたくてたまらないことはなんですか？　最も邪悪な衝動は？　最高のアイデアは？　あなたを幸せにするものはなんですか？

・主人公につぎのように尋ねます。わたしがこれから課することのなかで、あなたがいちばん恐れていることはなんですか？　どんな苦痛を受けることを心配していますか？　何を失うことがこわいですか？　わたしがあなたに恥をかかせるのではと懸念していますか？　どんなふうに？　最もいやな悪夢はなんですか？　最悪の失敗の仕方は？　いちばん失望させたくないのはだれですか？
・主人公につぎのように尋ねます。ストーリーに登場するほかの人物について、わたしが見ていないものはなんですか？　秘密をかかえているのはだれですか？　わたしが考えているのとはちがう動機や目的を持っているのはだれですか？　あなたのことをひそかに敵視しているのはだれですか？　対照的に、見かけより善人なのは？　ほかの登場人物が、実行したいと思っているけれど、いまはそのチャンスがないことはなんですか？
・主人公につぎのように尋ねます。いままで言えなかったことで、口に出して言いたいことはなんですか？　だれに文句を言いたいですか？　だれに「愛している」と告白したいですか？　だれを傷つけたいですか？　だれを誘惑したい、あるいはされたいですか？　助けたいのに、助けられないのはだれですか？　だれのことを許したいですか？
・主人公につぎのように尋ねます。これは、ほんとうにあなたのストーリーですか？　わたしが見ていないものはなんですか？　わたしはどんなメッセージを見逃しましたか？

創作は感情の鏡であり、自分を映し出す鏡です。書くことで自分自身を知ることができ、登場人物が教えてくれることもたくさんあります。登場人物が自由に発言すれば、そのぶんあなたは成長することができます。登場人物は、あなたが避けていたものを示し、ストーリーに使われていない可能性を明らかにします。すばらしいことだと思いませんか？

汝の隣人を愛せよ。良識と善良さ

読者へ送られるシグナルは、登場人物を通してだけでなく、小説の世界からも伝わります。読者は登場人物と同じように、小説の世界を体験することができます。これは、わたしの著書『二一世紀の小説を書く』（未訳）で説明したテクニックです。さらには、あらゆる人と同じように小説の世界を体験することもできます。そのためには、ストーリーの舞台を「好感が持てるコミュニティ」や「思い描ける場所」として見る必要があります。

あなたはストーリーの世界をどんなふうに見ていますか？　あたたかく包みこむような世界でしょうか。それとも、氷のように冷たく敵対的な世界でしょうか。そこにはどんな人たちが住んでいますか？　全員同じでしょうか？　もちろんちがうでしょうが、そんなふうに思える小説はたくさんあります。主人公の孤独も似たり寄ったりです。権威者には悪意があり、家族は有害で、友人や相棒はありふれたものに歪められ、結局助けになりません。あなた自身がいる現実世界も、そんなふうに見えますか？　たしかにそう思う日もあるでしょうが、おそらく心の底では、わたしと同じように感じているのではないでしょうか。つまり、人は基本的に善良である、と。

ひとつ例をあげます。

ハリケーン・サンディがニューヨークを直撃したときのことです。わたしたちはダウン・タウンのウエスト・ビレッジの自宅で、窓から嵐をながめていました。ガラスが内側にたわむのが、指先で感じとれるほどの威力です。ハドソン川は増水し、桟橋は消え去り、ウェストサイド・ハイウェイは川と化しました。わたしたちが住んでいる、全長一区画ほどのアパートメントは、浅い海に座礁した遠洋定期船さながらです。

このあと、わたしたちは七日間の停電に見舞われました。最初の夜、真っ暗な廊下に近所の人たちが懐中電灯やロウソクを持って集まってきました。非常灯はどこだ？　火災報知器は？（あとで知ったことですが、本来なら避難しているべきでした）わたしたちはどうするか話し合いました。ここに留まる？　街から脱出する？　どうやって？　地下鉄も、鉄道も、空港も、橋も、トンネルも、すべて閉鎖されています。通りの向こうの駐車場の車はすべて水没しています。

後日、ダウン・タウンの避難者の群れに加わり、携帯電話の充電とあたたかい食事やコーヒーを求めて、二六丁目より北の停電していない地帯へ向かいました。近所の住民はすぐにわかりました。あたたかい服を着こんで、ベビーカーを押して、シャワーを浴びたいという顔をしていたからです。

そして、わたしたちは話をしました。ふだんは歩道や地下鉄で目をそらす人たちと熱心にことばを交わしました。だいじょうぶですか？　水はあります？　何か聞いてますか？　どうも、わたしはドンです。妻のリサと、息子のアビです。はじめまして。お住まいは？　お子さんの学校はどちらですか？

わたしはたくさんの名刺を受けとり、自分の名刺を渡しました。一週間後、電力が復旧し、その人たちの大半とはその後、連絡を取り合うことはありませんでした。ですが、しばらくのあいだ、わたしたちは共同体でした。危機的状況に陥ると、ニューヨークはそのような状態になります。9・11のときもそうでした。街は閉鎖されましたが、人々は団結しました。ハリケーン・サンディのあと、わたしは何が起こったのか考えました。おおぜいが一丸となって大きな問題を乗り越えたのです。わたしたちはひとつのストーリーを生きました。そのストーリーのなかで人々はどのように行動したのでしょうか。お互いを敬遠しましたか？

いいえ、その逆です。暗闇のなかで生きることは、ある意味すばらしく、人々がいかに善人になれるかということを改めて発見しました。

それで、これが原稿とどんな関係があるのでしょうか。わたしは、ある土地の物語を読んで、そこに住んでみたいと思うことは、あまりありません。しかし、たまには魅力的な土地がページ上に現れて、迎え入れてくれることがあります。何に引かれるかというと、その土地と住民の組み合わせです。あたたかさ、心地よさ、そして、どんな対立があろうとも、そこで暮らす人々に生来の善良さがあると感じられることです。

アットホームな気持ちになります。

そのような場所を、どうやったら生み出せるのでしょう。舞台がディストピアだとしても、読者が――いいえ、登場人物が安全だと思う場所、つまり善意が存在する余地はあります。暗い時代でも、厳しい環境であればあるほど、人は本来持っている善良な部分を輝かせることができます。小さな町は、閉鎖的な面もありますが、あたたかくて協力的な共同体でもあります。そこに住んでいる人たちが決め手となります。

ジョン・グリシャムの自伝的小説『ペインテッド・ハウス』(二〇〇一)は、一九五二年のアーカンソー州の綿花地帯が舞台です。七歳のルーク・チャンドラーの成長物語で、収穫期を迎えた家族は綿花を収穫して借金を返済しようとします。そのためには、メキシコからの出稼ぎ労働者や、チャンドラー家よりさらに貧しい白人「山地民《ヒルピープル》」を雇わなければなりません。この地帯の社会階層の格差は激しく、ジョン・スタインベックの『二十日鼠と人間』(一九三七)や、ロバート・グールリックの『ワンダフルへ向かう』(二〇一二/未訳)を思わせるロマンスと死へつながっていきます。

悲劇的な展開にもかかわらず、グリシャムの小説には、この田舎町のよさが随所にちりばめられています。そのノスタルジックな輝きは、ビスケットの朝食、ポーチに置かれたラジオから流れるカージナルスの試合、シアーズ・ローバックのカタログだけでなく、お互いをよく知る町の人々によって作りあげられたものです。小説の冒頭で、ルークは大好きな祖父といっしょに、祖父ののろのろ運転で町へ向かいます。祖父には労働者の雇用について相談する用事があり、ルークは、町へ行くと買ってもらえるトッツィーロールのことを考えています。

歩道に降り立って待っていると、じいちゃんが食料品店にむかってあごをしゃくった。これは、店に行って、チョコレートキャンディのトッツィーロールをつけで買ってもいいという合図だった。たった一セントのお菓子だったけれど、町に連れていってもらうたびにかならず買ってもらえたわけではない。ときには、じいちゃんがうなずく合図をしてくれない日もあった。そういうときでも、ぼくはやはり店にはいっていって、レジのまわりをうろちょろと歩きまわっていた。すると、そのうち奥さんのパールがこっそりぼくに一本手渡してくれるからだ。そういうとき奥さんは決まって、おじいさんにはないしょだよ、という。じいちゃんを怖がっていたのだろう。イーライ・チャンドラーは、貧しくとも誇りだけは忘れない男だったからだ。人からのほどこし物を口にして生きのびるくらいなら、いさぎよく飢え死にをえらぶ男だったし、トッツィーロール一個といえども、じいちゃんにいわせれば、ほどこし物にほかならなかった。ただでキャンディをもらったとじいちゃんに知られたら、杖でひっぱたかれていたに決まってる。だからパール・ワトスンにいわれると、ぼくはためらいもせず秘密を守る誓いを立てた。

しかし、このときは、じいちゃんがうなずいて合図をしてくれた。ぼくが店にはいっていくと、いつもどおりカウンターにはたきをかけていたパールがその手を休め、ぼくをぎゅっと抱きしめてくれた。ぼくはレジ横のガラス瓶からトッツィーロールをひとつとりだし、精いっぱい丁寧な字でつけ用の伝票にサインをした。パールはぼくの手書き文字を検分して、こういった。

「どんどん上手になってるわ、ルーク」

「七歳にしては上手だよね」ぼくは答えた。母さんのおかげで、ぼくは二年前からずっと自分の名前を筆記体で書く練習を積んでいた。

（中略）［パールがルークの祖父の居場所を尋ねる。祖父は「ティーショップ」でメキシコ人たちのことを調べている］

ぼくがじいちゃんのことを〝イーライ〟と名前で呼んだときの例に洩れず、パールはにやりと笑った。それからパールがなにか質問を口にしかけたとのとき、小さなベルがちりんと鳴った――店のドアがいったんあいて閉まった合図だった。まぎれもないメキシコ人が、ひとりで店にやってきた。メキシコ人は最初いつもそんな感じだったけれど、このときのメキシコ人もおどおどしているように見えた。パールは、この新来の客を丁寧な会釈で迎えた。

ぼくは大声を張りあげた。「こんにちは《ブエノス・ディアス》、セニョール」

メキシコ人はにやっと笑い、「こんにちは《ブエノス・ディアス》」と恥ずかしそうにいうと、店の奥に姿を消した。

「みんな気だてのいい人たちよ」パールが声をひそめていった――メキシコ人にも英語がわかって、ちょっとした誉め言葉にも気をわるくすると思いこんでいるみたいに。ぼくはトッツィーロールをひと口食べてゆっくり噛みながら、残った半分を包装紙でつつみなおしてポケットにしまった。（白石朗訳、小学館、二〇〇六年、一〇‐一三頁）

パールがルークにトッツィーロールをこっそり手渡すだけでなく、メキシコ人出稼ぎ労働者を店に迎え入れるようすからも、ルークの住む地域の人々に良識があり、その善良さがうかがい知れます（まあ、全員ではありませんが）。作者のグリシャムは七歳まで祖父の綿花農場で過ごしたので、おそらくこの地域についての記憶は、現実よりも少々バラ色に脚色されていることでしょう。それでもグリシャムは、このストーリーの世界と読者を、基本的な礼儀と好意で結びつけています。それによってわたしたちは——たとえこの先ルークがその過酷な面を見て成長する運命をたどるとしても——この世界が安全な場所だということがわかります。

《感情を引き出す技巧　演習問題その32》

良識と善良さ

・あなたが書いている時代や場所に生きる人々のいちばんの美点はなんですか？　それをストーリーの早い段階で読者が体験できるように工夫します。
・登場人物のなかで、寛大で心が広く、共感力と洞察力があり、賢明な人物はだれですか？　読者がその人物と早い段階で会えるようにします。
・ストーリーの幕開けに向けて、ある人物が別の人物に助けの手を差し伸べるようにします。可能であれば、食べ物をからめます。
・あなたのストーリーの世界で、日曜日のピクニック、裏庭のバーベキュー、学校のダンスパーティ、展示会、町の集会、独立記念日のパレード、むかしながらの食堂、あるいは街角のバーなどに相当するものはなんですか？　そこにシーンを設定します。
・あなたのストーリーの世界において、最も価値があるものはなんですか？　それを実現するのに、最も劇的な方法はなんでしょう。どうすればいいか、もうわかっていますよね。

ごくたまに、全員がいい人すぎる原稿を読むことがありますが、それよりも、いい人がほとんど登場しないストーリーを読むことのほうが断然多いです。ストーリーの世界をあたたかなものにすることにリスクはありません。最悪の事態が起こっても、より現実味が帯びるようになるくらいがせいぜいです。なぜかと言うと、人間が本来持っている善良さをとらえているからです。光が増せば、読者の暗闇への恐怖心が薄まります。さらにいいことに、「来てよかった」と思ってもらえるでしょう。

度量の大きさ

あなたは勝負に挑むとき、顔つきが変わりますか？　デスクについているとき、デートをしているとき、球場のスタンドにいるとき、あなたの性格は変わりますか？　仕事では一生懸命でも、週末はのんびり過ごしますか？　だれにも聞かれる心配のない車内では汚いことばづかいをしても、結婚式の乾杯の音頭をとるときには、感動的なスピーチをしますか？　子供には寛容でも、愚か者には我慢できませんか？　あなたが最悪の状態なのはどんなときですか？　いちばん調子がいいのはいつですか？

見せる顔は日ごとにちがうでしょうし、ひょっとすると時間ごとかもしれません。だれだってそうです。あなたといると最高に楽しいときもあるし、おずおずと両手をあげて、あなたから遠ざかりたくなるときもあります。あなたも他人に対してそう感じているにちがいありません。たとえば、一杯目はとても楽しい人なのに、三杯飲んだあたりから嫌味たらしくなる友人。不満屋と聖人君子が同居している家族のメンバー。仕事仲間としてはすばらしいのに、終業時にはその人を置いてさっさと引きあげたくなる同僚など。

一般的に、人は楽しい仲間を選びます。あたたかく、オープンで、好奇心が強く、思いやりがあり、興味深い人は、いっしょにいて気持ちがいいものです。わたしたちは、自分と似たようなものの見方や興味、価値観を共有する人に引き寄せられます。感じのよい人といっしょに過ごすのはいいものです。

そこで質問です。読者に四〇〇ページ以上にわたっていっしょに過ごしてもらおうとしているあなたは、どんな人物ですか？　読者にどんな仲間を提供しますか？　主人公だけでなく、あなた自身の人柄も重要です。作品にこめるのはどんな精神ですか？　どんな雰囲気を作りあげていますか？　わたしが目を通す原稿には、意地悪で不機嫌な、困惑して自己憐憫に満ちた、視野がせまくて支離滅裂な、あるいは率直に言って、ただ単に退屈な主人公がよく登場します。

これは、主人公は欲求し、執着し、苦悩し、孤立し、変化するべきだという創作術の本でよく語られる枠組みに合致するように思えます。たしかにそのとおりですが、そういう人たちといっしょに過ごすのは退屈です。ネガティブな精神の持ち主だからです。最終的に万事うまくいくから、「救われる」と言う作家も多いでしょうが、結末はまだまだ先です。その前に、長くてつらい中盤が待っています。

年がら年じゅう元気で、楽しいことしかない登場人物を創作しても解決しませんが、息抜きとしてはいいかもしれません。欲求、必要、奮闘、そして変化は、よいストーリーに欠かせない要素ですが、これを達成するには、読者を叫びながら走らせるのではなく、読者が誘いこまれるような精神が必要です。

そのちがいは、登場人物やストーリーの世界、そして一般的な物事すべてに対する作者であるあなたの感じ方によって生じます。よく言われるように、あなたは自分が食べたものでできています。それと同じように、あなたが書くものはあなた自身でできています。では、どんな料理を食卓に並べますか？

最高の自分とはなんでしょう。寛大で、好奇心が強く、思いやりがあり、理解力があり、洞察にすぐれ、見識があり、大らかであることでしょうか。あなたにはユーモアがあり、皮肉を見わける目があり、寛容ではありながらも人間の本性を憂える気持ちがあります。将来を見据え、賢く、ほかの人々が目を向けない真実を直視しています。経験から学び、予想外のことで意表を突かれる日常を大切にしています。人生を、解決するべき問題や生き抜くべきものとしてではなく、五感に供するごちそう、創作の絶好の素材として見ています。あなたは人生を愛し、大儀に奉じるためにみずからの経験をかたちにします。

あなたにとってストーリーとは、ただ格闘するためのプロットでもちょっとした遠出でもなく、人間の忍耐力を称賛するものであり、罪の許しであり、与えるべき豊かな恵みであり、放浪する自由であり、寛大な親切であり、人間のよりよい本性への高尚な呼びかけです。目的を定めながらも判断はせずにストーリーを語ります。自分自身を信じて創作し、登場人物がふつうでは考えられないような行動をとることを信じ、読者が困難で厄介な状況に強い心を持って臨むことを信じています。

ひとことで言えば、あなたは高潔です。あなたは人類最高の存在です。なぜそう言えるかというと、あなたは物を書く人だからです。

とはいえ、その精神はどのページでも輝いていますか？　現実を直視しましょう。書くことが不快な日もあります。ページを進めるのが苦痛なときもあります。そうした思いはページに現れます。小説を書く過程は、長くて疲れるものです。その疲労は読んでいて伝わります。あなたが不機嫌なときは小説も不機嫌になり、輝いているときは小説も輝いています。ですから、人生でもページ上でも自分を輝かせてはいかがでしょう。

《感情を引き出す技巧　演習問題その33》

度量の大きさを書く

・ストーリーの任意の箇所で止まります。おもしろいことはなんですか？　皮肉なことは？　何が特殊で、いかれていて、まちがっていて、境界を越えていますか？　なぜそれがこの場面にぴったりだと思いますか？
・苦痛を感じる箇所で停止します。暗闇のなかでも美しいものはなんですか？　視点人物が感謝することがあれば、それはなんですか？　その事態が起こるべくして起こったとしたら、唯一の救いはなんですか？
・ストーリーの世界について考えます。その世界のすばらしい点は？　最大の善とは？　共有されるべきものはなんですか？　読者が知ったらもっと好きになるものはなんですか？
・主人公について考えます。この人物を自由にする方法をひとつ見つけます。あなたが主人公に与えることができる贈りものはなんですか？　主人公はどんな思いがけない方法で満たされるのでしょう。どんな夢のような体験が実現できますか？
・重圧がかかっているときについて考えます。その挑戦のすぐれている点はなんですか？その状況下で、クールなこと、ものすごいこと、胸躍ることはなんですか？　主人公はどんなふうに工夫できるでしょうか。主人公は、どうやって自分の期待を、そしてあなたの期待を超えることができるでしょうか。
・脇役の登場人物を選びます。この人物について、ほかの人が見落としているけれども、主人公は見出している可能性はなんですか？　主人公が見破るうわべの態度はどんなものですか？　許せる欠点は？　賞賛される強さは？
・ストーリーのなかで、状況を突破できるのはだれですか？　許しが得られないときに許しを与える人物は？　高い地位にあっても謙虚さを示せる人は？　低い地位にあっても品位を保っている人は？　自宅を開放できる人は？　厳しい愛情を押しつけるのはだれですか？　犠牲を払える人は？　人を奮い立たせる人物は？　過ちを認めることができる人は？　罵って当然のときに、愛を示すことができる人はだれですか？

・原稿からどこかのページを選びます。何が起こっていますか？　そのシーンで、だれよりも高潔に、強く、公正に、気前よく、忠実に、公明正大に振る舞える人は？

・別のページを選びます。目に見えないもの、驚くようなもの、象徴的なものはなんですか？　原理を示すもの、正しさを証明するものは？　だれがそれを手に入れますか？

・さらに別のページを選びます。そのページに登場する人物や起こっていることで、あなたが楽しいと思うものはなんですか？　その気持ちが伝わるような表現を見つけ出します。どんなふうに要約しますか？　そのページのなかのだれが、あなたの心のなかにあることを考えたり、言ったり、表現したりできますか？

高潔さは資質であると同時にそれを実践する行為を示します。日々の執筆活動に、またすべてのページに取り入れるべきものです。そうすれば、読者はあなたの精神に魅了されて変化するだけでなく、変化していることを忘れ、いま感じている軽快な気分は、読んでいるストーリーのせいだと思うでしょう。

実際は、その軽快さはあなた自身から生じたものです。では、いま取り組んでいるシーンにおいて、何が最高の自分なのか、そしてその精神はどんなふうに輝いていますか？　さあ、寛大になりましょう。あなたの心にはゆとりがあります。そのゆとりを分け与えてください。あなたの精神が大らかであれば、あなたのストーリーも大らかになります。わたしたち全員が共有する世界も、そうなれるはずです。

流れ

小説のどんな要素がわたしたちをその世界に引きこむのでしょうか。プロット上の流れで必要なことが保留されていたり、それがまるでなかったりしても、読み進めてしまえるのはなぜでしょう。正体もわからないのに、ほしくてたまらない気持ちになるのはなぜでしょう。この物語が永遠につづけばいいと思いながら、先を急ぎたくなるのはなぜでしょう。ストーリーが心に響いたと感じるのはなぜでしょう。その理由は、プロットでも、シーンが持つ力でも、ごくわずかな緊張感を持続させたからでもありません。内なる旅でも、設定や声やテーマでもありません。そうしたことが影響を及ぼすことは否定できないとしてもです。わたしが言いたいのは、読者を説明できないほど夢中にさせて虜にする、もっと深遠な謎めいた力のことです。それは、ページ上であからさまに語られるものではありません。

この抗しがたい、目に見えない流れは、読者だけが感じることのできる、名前もない感覚です。その感覚を呼び起こすものは、あなたがストーリーに注ぎこんだあれこれというよりも、その根底にある、あなたがもたらす精神です。

それは、希望です。

希望というのは、ストーリーの一場面に簡単におさまるものではありません。意図的に呼び起こすのがむずかしい感情であり、登場人物を行動へ導くものでもありません。それどころか、希望はストーリーの一部であるとも言えません。むしろ、名もなく手にはいらないものへの憧れや痛みであり、読者に現実と可能性を信じさせるものです。

読者は希望を期待として体験しますが、ほかのものととりちがえてしまうことがよくあります。たとえば、低級ホラー映画の古典的なシーンを考えてみましょう。すぐ思いつくはずです。一〇代の少年と少女が、夜中に森のなかのおんぼろの小屋へ向かうシーンです。少年が「スージー、なかへはいろう」と言うと、スージーは、「どうかしら、ジョニー。あそこは気味が悪いわ。町へもどらない？」と言います。

ジョニーはスージーを説得してなかへはいりますが、その時点で観客は、このふたりは生き延びるにはあまりに愚かで、革の仮面をかぶった怪物にやられても当然だと思います。観客が不安になるのは、これから血なまぐさい場面になるぞと予期するからですよね？　そうかもしれません。しかし、恐怖と同じかそれ以上に強い別の感情の力が働いています。わたしたちの感情を刺激しているのは、ジョニーの「なかへはいろう」という発言だけではありません。スージーが言う「町へもどらない？」も重要です。スージーは希望の声です。観客は、ジョニーは見た目ほどばかじゃない、まっとうな判断をするはずだ、スージーを拷問や内臓をえぐり取られる惨劇から救ってくれるだろう、とほんの一瞬でも期待します。わたしたちは、「危ない！」という気持ちと、それと同じくらい「どうか死なないで！」という気持ちをいだきます（よっぽどひどい映画でないかぎり）。

小説にまつわるいくつかの謎は、希望が不在だからということで説明がつきます。たとえば、スリラー作家が主人公をつぎつぎと危ない目に遭わせ、危険度は増していくのに、小説からスリルをほとんど感じないことがあります。美しく描写された文学作品が、救いのある結末にもかかわらず、氷のように寒々しく感じることがあります。ある種のダークミステリーが読者を憂鬱にさせる一方で、ほとんど同じプロットの別のミステリーが読者を元気づけることがあります。どれも同じことで説明できます。

希望は、わたしたちが愛する小説を貫く流れです。では、わたしたちは何を望んでいるのでしょう。ハッピーエンド？　たしかにそうですが、それはほんの一部にすぎません。希望は、ストーリーのあらゆる側面に見出すことができます。

ストーリーの世界を考えてみましょう。設定を通して希望を伝えることができます。不可能に思えますか？　そんなことはありません。希望が生まれるのは、登場人物の前に運命が提示されたときです。希望を与えてくれるストーリーの世界は、平和になる可能性がつねにあります。そんな場所であれば、読者は期待からエネルギーを得ることができます。

小説に希望があふれるのは、登場人物が自分の心に関心を持ち、好奇心を持って他人を見るときです。希望は、悪いものを避けるのではなく、よいものを追いかける欲求を通じて感じることができます。希望は挫折の連続ではなく、欲求の上昇カーブで感じられるものです。

希望は、わたしたちが愛する登場人物に表れます。彼らはわたしたちの心よりもずっと寛大だからです。ストーリーが永遠に終わらないでほしいと思うとき、登場人物がわたしたちの気分を高揚させているのです。希望に満ちたストーリーでは、わたしたちは登場人物の身の安全と同じくらい、その魂に関心を持ちます。希望を持つ作家は、愛情に満ちあふれています。

希望をことばで表さなければならないとしたら、どんなことばでしょうか。使えるテクニックがないときは、どんな道具を使いますか？　幸いなことに、必要なツールならすでにあります。それは、あなた自身です。あなたは希望を体現するものだからです。ですから、登場人物、彼らの展望、そして彼らの世界に希望を流しこむだけでいいのです。

逆説的に、あるいは完璧な論理が成り立つかもしれませんが、わたしたちに希望をいだかせるストーリーは、ときとして、絶望しきった状況の登場人物からはじまることがあります。ヴィクトル・ユーゴーの『レ・ミゼラブル』（一八六二）がいい例です。

登場人物が最初は卑劣な場合も、そこから贖うまでの過程を、すばらしくて感動的なものにできます。善良な心を持ち、何不自由ない生活を送っている人物のことを心配する必要はありません。少なくとも心を痛めるようなプロット上の問題が起こるまでは、そんな気持ちになりません。悲惨な状況にある登場人物は、何も起こらないうちから美しい変化を求めています。しかし、みじめな人物を気にかける思いは、ひとりでには生まれません。救済される価値がその人物にあり、いずれ贖うときが訪れるという兆しが必要です。

スウェーデンの作家フレドリック・バックマンの『幸せなひとりぼっち』（二〇一二）は、オーヴェという名前の気むずかしい男のストーリーです。オーヴェは五九歳、並みいる不平家をものともしない、不平の大家です。人生の見通しは辛辣で、態度は不快でありながらも、幸いなことに、ユーモアのセンスを持ち合わせています。オーヴェは楽天的ではありません。妻の死から日々を無為に過ごし、何度も自殺を試みますが、そのたびにオーヴェの助けを必要とする人や、オーヴェに親切にしたいと思う人が現れて中断されます。列車の前へ飛びこもうとするも、線路に誤って落ちた人を助けます。不機嫌になる理由はいくらでもあります。

オーヴェは自身が住むテラスハウス団地の駐車場をパトロールします。猫になつかれ、思いがけない人たちと交流するようになります――妻が妊娠中のイラン系移民の夫婦、ヤッピー、ジャーナリスト、迷いや葛藤をかかえた三人の若者（ひとりは流れ者、ひとりは見かけが派手な同性愛者、ひとりは太っちょ）。オーヴェの幼少期や、死んだ妻ソーニャとの関係、ソーニャの両脚の自由を奪った事故のことを回想する章もあります。さらに、もう何十年も話をしていないかつての友人、ルネとアニタの事情に巻きこまれていきます。ふたりは現在、ルネのアルツハイマー病の進行と闘っています。ルネを介護施設に移す計画が持ちあがったとき、オーヴェは長いこと疎遠だったにもかかわらず、怒りにまかせ、阻止する手助けをします。

『幸せなひとりぼっち』は、つむじ曲がりの主人公なので奇妙に思えるかもしれませんが、希望に満ちた小説です。その希望を感じさせるものとはなんでしょう。それは、オーヴェではなく、ほかの人々のアクションです。たとえば、猫です。この猫は、オーヴェが住むテラスハウス団地の前で雪に埋もれていたところを発見されます。オーヴェは隣人の妊婦から、猫を引き取って元気になるまで看病してほしいと頼まれます（この隣人家族にはアレルギーがあるので、猫を飼えません）。オーヴェは、控えめに言っても、しぶしぶといった体で猫を保護します。ある雪の日、オーヴェは妻の墓前に花を供えるときに、猫をいっしょに連れていきます。


「花を持ってきたぞ」もごもごと言った。

「ピンクだ。きみの好きな色だ。霜でだめになると店で言われたが、もっと高いのを買わせようとしただけだろう」

猫は雪にどっかり尻をついてすわった。オーヴェはむっつりとそちらを見やり、ふたたび墓石に向きなおった。

「ああ……こいつは迷惑猫だ。うちでいっしょに住んでる。家の前で半分凍え死んでた」

猫はむっとした顔をした。オーヴェは咳ばらいした。

「やってきたときから、こんなふうだった」急に言い訳がましい声になり、オーヴェは猫に、つぎに墓石にうなずきかけた。

「傷つけたのはわたしじゃないぞ。最初から傷だらけだった」ソーニャにあてて言い足した。

墓石も猫も無言だった。オーヴはしばし自分の靴を見つめた。ぶつぶつこぼした。雪にひざをついて、墓石の雪をさらにはらった。上にそっと片手をおいた。

「寂しいじゃないか」ささやき声で言った。

オーヴェの目の端に一瞬光るものがあらわれた。すると、何やらやわらかなものが腕にふれた。その正体が猫で、オーヴェの手のひらに小さな頭をのせてきたのだと理解するのに、一瞬かかった。（坂本あおい訳、早川書房、二〇一六年、二三六－二三七頁）

オーヴェが猫に手を差し伸べるのではなく、猫がオーヴェに手を差し伸べます。他者の無私の行動が読者の胸に響きます。それが猫や犬ならなおさらです。当然ながら、それが人間の場合でも、わたしたちに希望を持たせることができます。そんな瞬間が、悲惨な人生を送る主人公が登場する別の小説にもあります。オーストラリアの作家ブライス・コートニーの『パワー・オブ・ワン』（一九八九）は、一九三〇年代から一九五〇年代にかけての南アフリカを舞台にした小説です。英語を話す少年ピーケイは、ほかの少年たちがアフリカーンス語を話す寄宿学校で壮絶ないじめに遭います。ピーケイのことをピスコップ（赤むけ野郎）と呼び、拷問し、小便をかけ、糞を食わせます。上級生の「判事」はナチスのシンパです。

　ピーケイは何人かの大人に助けられ、やがて人生の指針となる原則を教わることになります。そのうちのひとりがホッピー・グレーネヴァルトという男です。ピーケイがひと夏を過ごすために、祖父の住むバーバートンの町へ向かっているときに出会う車掌です。ホッピーは、ピーケイの可能性を見出し、ボクシングを教えます。ホッピーはウェルター級で、その戦略は対戦相手より賢くなることです。「まず頭、おつぎはガッツ」というのがホッピーの信条で、ピーケイもそれを受け継ぎます。ホッピーは、自分の体重の二倍もある「鑿岩機《ジャックハマー》」スミットというボクサーと対戦することになりました。試合は一三ラウンドに及び、形勢不利に陥りながらも、ホッピーは相手の目をねらう作戦を貫きます。

　ホッピーは左ストレートを相手の顔にくらわせ、鼻血を出させた。さらに頭に何発かお見舞いしたものの、パンチは力がなかった。「鑿岩機」はまたクリンチにもちこんだ。レフェリーの制止もきかず、クリンチした姿勢のままホッピーの頭をなぐった。これはあきらかに反則だった。おどろいたことに、ホッピーはたおれたのだ。坑夫側もびっくりした。彼はすぐ起きて、片膝を立て、右手をロープにかけて身をささえた。「鑿岩機」は観客のさけび声から相手がたおれたことを知ると、グラヴをだらりとたれて、進みでた。血でかすんだ目では、とんでくるパンチが見えなかった。ロープから体重をずんとかけたホッピーの左がのび、「鑿岩機」のあごにまともに炸裂した。大男は一瞬ぐらりとゆれてから、長々とリングにのびてしまった。

「やった！」ヘティが金切り声をあげた。観客全員が狂ったような歓声をあげた。ぼくはまさに見たのだ。チビがデカをやっつける場面を。最初は頭、おつぎはガッツ。ホッピーは最後までこの呪文をとなえつづけたのだ。ぼくは勝つためのいちばんだいじな教訓をまなんだ。それは、頭を使え、使いつづけろ、ということだった。

（中略）

ぼくは興奮のあまり、絶叫をあげながら、ぴょんぴょんとびはねた。生まれてからこんなにうれしかったことはない。おかげで希望がわいてきた。ぼくだってやれるんだ。（越智道雄訳、集英社、一九九三年、六四頁）

試合に勝ったのはホッピーですが、力をもらったのはピーケイです。読者は、小さく賢い者が勝てるということを少年に身をもって示す、この車掌の無私の行為に触発されます。ホッピーはボクサーですが、ピーケイにボクシングを教えるのは親切心によるものであり、こうした見知らぬ人による親切が、読者に希望をいだかせるのです。

《感情を引き出す技巧　演習問題その34》

希望を吹きこむ

・あなたのストーリーは、恐怖を呼び起こすことを意図していますか？　状況を悪化させるだけでなく、最悪の事態が起こらないという希望を持たせる方法を三つ、さらに、生存することがもっと重要な意味を持つ方法を三つ見つけます。それらの理由を個人的なものにします。

・ストーリーは恋愛ものですか？　ふたりを引き離す障害に加えて、ふたりがいっしょであることがもっと重要な意味を持つ方法を三つ見つけます。その理由を個人的なものにします。

・ストーリーは、正義などの原則を貫くことを意図していますか？　主人公は、いかなる手段でも手に入れることができない、どんな希望をいだいていますか？　その望みを目標より高くする方法を三つ見つけます。

・ストーリーは、旅、癒し、円満を追求するようなものですか？　傷ついた心に残るぬくもりを表現する新しい方法を三つ見つけます。

・どんなタイプのストーリーであれ、つぎのようなことができる人を見つけます。贈り物を届ける、だれかを洞察する、角を曲がる、許せないことを許す、謙虚になる、先を見通す、言うべきことを正確に知る、身を引く、大喜びする、恩を売る、人生を変える、運命を変える、ユーモアを見つける、皮肉を知る、大きな意味をつかむ、優雅に死を迎える、などです。あなたが見つけたものがあれば、それも追加します。

小説がすんなりと読めるのは、ひとつには、とてつもない才能と技術が投入されているからです。また、何度も草稿を書きなおしては、試作段階で読んでもらったり、編集者の助けを借りたりしたからかもしれません。シリーズものを書くことで、あるいは経験を積むことで、ある種の安心感を得ることもあるでしょう。ことばの技巧も助けになります。しかし、どれも小説に心を与えることとはちがいます。

心とは、個々の原稿ではなく、その作者に固有の資質です。それは技術ではなく精神です。精神は神秘的に思えるかもしれませんが、偶然の産物ではありません。培い、実践することが可能です。あなたがくだすストーリーの選択に、日ごとに沁みこんでいくものです。あなたがもたらす精神は、わたしたちが読むときに感じる精神です。あなたが読者に与えるあらゆる感情のなかで最も魅力的で美しいのは、希望という精神です。

最後に

小説は、ただ読むだけではなく、体験することができるものです。体験とは、登場人物に起きていることがまるで自分にも起きているかのように、ストーリーの世界に浸り、夢中になり、その魔力の虜になることです。もちろん、ストーリーの出来事は本物ではありません。読者が体験していること、実はそれは、読者自身の心のなかで起きているのです。

読者にそのような影響を与えるには、まず作者であるあなたが、登場人物の感情の動きを自分のことのように感じ、ストーリーの世界に浸り、夢中になり、身を沈めることが必要です。それには、約束ごとにしばられたり、ファンや批評家、出版業界、あるいは文学的伝統や仲間からの期待にとらわれたりすることなく、心を開き、自由で、恐れを知らない信頼できる存在であることが求められます。あなたは、心を決めて真実を表さなくてはいけないのです。

それでは真実とはなんでしょうか？　ポストモダンの時代と呼ばれ、人々が共通の価値観を持つことがなくなったいま、絶対的な存在などはそっぽを向かれるかもしれません。けれども、小説はそんな動きとは無縁です。小説には説得力があります。極上のストーリーを語れば、読者はあなたの味方になることでしょう。読者の心をつかむことができれば、読者はストーリーの世界に浸るだけでなく、その内容をも信頼します。

　真の小説家は、矛盾を察知する本能を持っています。どこからでも予期せぬ驚きを見つけ出すことができます。作家は人間観察を好みますが、それは無意味で受動的な行為ではなく、道行く人々の心のなかを覗きこみ、見ず知らずの人間が、どのようにして、いまある姿になったのかを考えているのです。作家は自分の家族の奇妙な部分を恥じらうことなく題材にします。筋書きが頭のなかを駆けめぐり、世界が構築されていきます。直感を信じ、正しいと思うことをストーリーにします。自分の嘘に気づき、やり直すことを厭いません。

　小説家としての本能、視線、心を養うにはどうしたらいいのでしょうか。ストーリーが意味するものは、小説家ひとりひとりで異なります。個性、好み、政治的信条、性別によってちがいがあります。女性の作家は、女性の登場人物を傷ついた存在としてとらえ、内なる旅によって癒しと力を得ると考えます。男性作家はその逆に、うぬぼれに満ちた男性の登場人物を作り出します。こうした主人公が必要とするのは、癒しではなく、謙虚さを身につけることであり、力を得ることではなく、力の限界を学ばなくてはいけません。

　どんな登場人物やストーリーのアイデアもまちがいとは言えません。完全に自分のものとしていなければ、効果がないだけです。そして何より、真の小説家は、自分たちのしていることに対して謝罪する必要を感じないものです。ヴァージニア・ウルフやアーネスト・ヘミングウェイにもそれぞれ問題はありましたが、インスピレーションを保つこと、売りこみについての気苦労、拒絶されることへの恐れ、出版にあたっての不安などについてブログを書くことはありませんでした。たとえ賞賛をもって迎えられなくとも、自分たちのストーリーは世の中に必要なものであり、天からの声であって、書くことは重要だという信念をもって執筆に取り組んだのです。

ジェーン・オースティン、チャールズ・ディケンズ、トマス・ハーディ、ヘンリー・ジェイムズ、イーディス・ウォートン、スコット・F・フィッツジェラルド、ヘミングウェイ、ダシール・ハメット、セオドア・ドライサー、E・L・ドクトロウ、ジョセフ・ヘラー、アンソニー・パウエル、トマス・ピンチョンといった作家は、自分たちが生きる時代を果敢に描き出しました。ジュール・ヴェルヌ、オルダス・ハクスリー、J・R・R・トールキン、ウィリアム・ゴールディング、レイ・ブラッドベリ、アンソニー・バージェス、フィリップ・K・ディック、カート・ヴォネガット、マーガレット・アトウッド、スティーヴン・キングといった作家は、想像や幻想を人間の本質についての具体的表現として描きました。D・H・ローレンス、カーソン・マッカラーズ、ブース・ターキントン、ジョゼフ・コンラッド、リチャード・ライト、ロバート・ペン・ウォーレン、ジェームズ・ジョーンズ、ジョン・ファウルズ、ジョン・アーヴィング、コーマック・マッカーシーといった作家は、個人的な体験を普遍的なものへと昇華させ、その時代を描きながらも、時代を超越した作品を発表しています。

小説は、わたしたちの文化において居場所を乞う必要はありません。その重要性は説明するまでもないものです。人々を高揚させるために文学性を高める必要もありません。歴史小説、冒険もの、SF、犯罪もの、青春ものなど、すべてのタイプのストーリーが、単なる娯楽を超えた役割を果たしてきました。

小説には、ほかの芸術様式にはできないことが可能です。より深いレベルで想像力を刺激し、心を揺さぶり、ほかの芸術様式には見られない方法で変化をもたらします。それなのに、なぜ文学界には不安がひろがっているのでしょうか。なぜ小説家は、もうだれからも読んでもらえないと思うのでしょうか。なぜ、見つけてもらえないと嘆くのでしょうか。自信のなさがキーボードを打つ手を鈍らせ、大胆さの欠けたインパクトの弱い作品へとつながっているのです。こんなばかなことはありません。

いまこそ、すべての小説家が使命感を持って、不安を乗り越え、力強く書くべきときです。なぜためらうのでしょうか？　感情を引き出す究極の技巧とは、あなた自身の気持ちを信じること以外にありません。信じること。自信を持つこと。それは、出版されることを信じるだけではありません。技巧を習得する自信だけではありません。そうではなく、ストーリーテラーとしての自分の使命と、あなたのなかにいる英雄や怪物に恐れることなく身を委ねるという意味です。

主人公と敵対者は常軌を逸した人間です。あなたも同じです。それは恐ろしいことですか？そうかもしれませんが、自分のなかにそのような側面を認めれば、それを封印する可能性は低くなります。「わたしは人を殺すことができる」と認められますか？　異常な思考を告白し、無分別な愛についての真実を語ることができますか？　仮面をはずして、自分の混沌とした内面をさらけ出す覚悟はありますか？　それならやってみましょう。それこそがストーリーテラーとしての仕事です。

わたしたちはみな、悪事を働いたことがあります。人に苦痛を与え、軽はずみな行為に及び、根拠もなく信じこみ、暴言を吐き、突拍子もない行動に乗り出すことがあります。盲目的な恋に落ち、忌まわしい行為を見逃します。本能に動かされ、衝動的な選択をします。わたしたちの決断は経済的にも道徳的にも意味を成しません。人間の思考がいかに不合理であるかは科学的に立証されています。

一方で、わたしたちは良識や正義、善悪の感覚に根ざしています。わたしたちには欠点もありますが、善良でもあります。言い換えれば、たしかな人間性と真実の感情に満ちたストーリーを語るために必要なものをすべて備えているのです。何も阻むものはありません。まったくないのです。足りないものはありません。いま、この瞬間、あなたには真の小説家としての本能、視線、心がすべて備わっています。

そう、すべてです。足りないものがあるとすれば、それは信念かもしれません。だから、あなたに言いたい――自分を信じてください。真の小説家になるために必要なのは、経験でも、原稿の数でも、承認でも、「いいね！」の数でも、星つきレビューでも、映画化契約でも、お金でもありません。人間として生きているだけで、すでに小説家なのです。もっと実践や洗練、技巧、コーヒー、時間、大人数のチームが必要でも、心配はありません。つづけていれば、こういったものは向こうからやってきます。それ以前に、そしてその先にも、いちばん必要なのは信念です。技巧や創作手順、ストーリーのアイデア、サポートは、もちろん大切ですが、あなたが本来持っている人間性と善良さは、もっと重要です。

誤解しないでほしいのですが、感情を引き出す技巧は一連のスキルであり、この本がそのスキルを磨く手助けになればうれしく思います。けれども、わたしに教えられないことがひとつあります。それは、人間としての壮大な試行錯誤をどう経験するかということです。あらゆる物事に対してあなたが持つ感情は、あなただけにしかない、唯一無二のものです。もしわたしもまったく同じ感情を持つのであれば、あなたの小説を読む必要はありません。けれども、そうでないからこそ、読むのです。読む必要があるのです。あなたのストーリーを読むとき、わたしの心は強く揺り動かされるはずです。この本で説明してきたように。

あなたは自分の感情を信頼していますか？　信頼にふさわしいものだと思っていますか？　プロットについて思い悩むのをやめて、感情面での経験を受け入れることができますか？　それがあなたと登場人物を、そして読者と登場人物を確実に結びつけます。あなたの心は開かれていますか？　肩の力を抜いていますか？　準備はできていますか？　安全な場所を出ることは、自分の感情の世界へ足を踏み入れるよりむずかしくはありません。登場人物が持つべきだとあなたが考える感情ではなく、予想外で、矛盾した、厄介で、刺激的で、美しく、卑劣な、すべてをひっくるめて人間らしい感情の巨大なパレットが、日々わたしたちを揺さぶり、驚かせるのです。

小説を書くことは、それ自体が感情の旅だと言えます。恋に落ち、ともに暮らし、憎しみ合い、別れ、和解し、視野を広げ、お互いを受け入れ、そして最後にはいつまでも変わらない深い愛を見つけるような、心の変遷です。小説を書くことは、生きることに似ています。ですから、よい作品を書くためには、豊かな人生を全力で生きなければいけません。感情を引き出す技巧は、たしかに小説を書くためのツールです。けれども、それは何よりも、どんな本の領域をも超えて、あなた自身の愛情に満ちた心から生まれてくるものです。

付録——感情を引き出すためのチェックリスト

訳者あとがき

人は何を求めて小説を手に取るのでしょう。知的好奇心、現実逃避、あるいは単なる暇つぶしでしょうか？　著者のドナルド・マース氏は、読者は感情をかき立てられたいのだと主張します。そしてその事実を理解していない書き手が多いと指摘します。練りに練った構想、凝ったプロット、あっと驚く伏線回収、予想外の結末など、どれもすぐれた作品に見られる要素です。しかし、名作に欠かせないのはそれだけではありません。

手に汗を握り、心を躍らせ、ページをめくる手が止まらないほど夢中になって読んだはずなのに、時を経て振り返ってみると、細かいプロットや人間関係はすべて忘れていて、ただ自分が感動したということしか覚えていない――こんな経験はありませんか？　詳細は忘れてしまったとしても、読んでいたときの自分の感情、心に受けた衝撃をいつまでも覚えている作品こそが、不朽の名作と呼ばれるに値します。

この本では、アーネスト・ヘミングウェイ、レイ・ブラッドベリ、ハーパー・リーなどの偉大な作家の小説や、当代きってのストーリーテラーであるスティーヴン・キングの小説、映像化も大ヒットした『ゴーン・ガール』、『ハンガー・ゲーム』、『トワイライト』といった作品、さらには、ミステリー、YA、ファンタジー、ホラーなど幅広いジャンルからさまざまな作品を例にとって、いつまでも記憶に残る作品を書くための、感情を引き出す技巧を細かく分析していきます。
著者のドナルド・マース氏は、一九八〇年にニューヨークでドナルド・マース・リテラリー・エージェンシーを設立したベテランの文芸エージェントで、毎年、アメリカや海外の出版社に一五〇作以上の小説を売りこむ手腕の持ち主です。創作指南に関する活動も精力的におこなっていて、これまでに創作術に関する本を七冊刊行しています。本書はマース氏の最新作であり、はじめての邦訳書です。

二〇二一年にフィルムアート社から翻訳刊行された『「書き出し」で釣りあげろ』の最終章には、作家の原稿を最初にチェックする文芸エージェントや編集者たちからの貴重なアドバイスが掲載されています。プロはどんな点を重視しているのか、何が注意信号に引っかかるのか、とても参考になります。そんな出版界の門番である文芸エージェントが、知識と経験をもとに編みだした秘訣がまるごと一冊に詰まっているのがこの本です。

小説に限らず、ストーリーの構成やプロットについての指南書はたくさん出まわっています。しかし、重要であるにもかかわらず、感情をテーマにした創作術の本はごくわずかです。創作活動に行き詰まりを感じていたら、読者の感情を引き出す技巧について、ぜひ考えてみてください。作品に深い奥行きが生まれるはずです。この本があなたにとって新たな境地を開くきっかけとなることを願っています。

二〇二二年一〇月　佐藤弥生、茂木靖枝

索引

人名索引

ア行

カ行

サ行

タ行

ナ行

ハ行

マ行

ヤ行

ラ行

ワ行

作品名索引

ア行

カ行

サ行

タ行

ナ行

ハ行

マ行

ラ行

ワ行

出典

From *Crispin: The Cross of Lead* by Avi, copyright © 2002 by Avi, published by Hyperion Books for Children.

From *A Man Called Ove* by Fredrick Backman, copyright © 2012 by Fredrik Backman, translation copyright © 2014 by Henning Koch, published by Atria Books, an imprint of Simon & Schuster, Inc.

From *The Double Bind* by Chris Bohjalian, copyright © 2007 by Chris Bohjalian, published by Shaye Areheart Books, an imprint of the Crown Publishing Group, a division of Random House, Inc.

From *Fahrenheit 451* by Ray Bradbury, copyright © 1953 by Ray Bradbury, renewed 1981 by Ray Bradbury, published in the United States by Del Rey Books, an imprint of The Random House Publishing Group, a division of Random House, Inc.

From *Red Rising* by Pierce Brown, copyright © 2013 by Pierce Brown, published by Del Rey, an imprint of Random House, a division of Random House LLC, a Penguin Random House Company, New York.

From *The Girl with All the Gifts* by M.R. Carey, copyright © 2014 by Mike Carey, published by Orbit, a division of Hachette Book Group, Inc.

From *The Hunger Games* by Suzanne Collins, copyright © 2008 by Suzanne Collins, published by Scholastic, Inc.

From *The Power of One* by Bryce Courtenay, copyright © 1989 by Bryce Courtenay, A Ballantine Book, published by The Random House Publishing Group.

From *All The Light We Cannot See* by Anthony Doerr, copyright © 2014 by Anthony Doerr, published by Scribner, a division of Simon & Schuster, Inc.

From *My Cousin Rachel* by Daphne du Maurier, copyright © 1951 by The Estate of Daphne du Maurier, published by Virago Press, an imprint of Time Warner Books UK.

From *The Walk* by Richard Paul Evans, copyright © 2010 by Richard Paul Evans, published by Simon & Schuster, Inc.

From *Those Who Leave and Those Who Stay* by Elena Ferrante (translated from the Italian by Anne Goldstein), copyright © 2013 by Edizioni E/O, translation copyright © 2014 by Europa Editions, published by Europa Editions.

From *A Quiet Belief in Angels* by R.J. Ellory, copyright © R.J. Ellory Publications, Ltd. 2007, published by The Overlook Press, Peter Mayer Publishers, Inc.

From *Gone Girl* by Gillian Flynn, copyright © 2012 by Gillian Flynn, published by Crown Publishers, an imprint of the Crown Publishing Group, a division of Random House LLC.

From *Schroder* by Amity Gaige, copyright © 2013 by Amity Gaige, published by Twelve, an imprint of Grand Central Publishing, a division of Hachette Book Group, Inc.

From *Falling From Horses* by Molly Gloss, copyright © 2014 by Molly Gloss, publishing by Houghton Mifflin Harcourt Publishing Company.

From *Gideon* by Alex Gordon, copyright © 2015 by Alex Gordon, published by Harper Voyager, an imprint of HarperCollins Publishers.

From *The Fault in Our Stars* by John Green, copyright © 2012 by John Green, published by Penguin Group (USA) LLC.

From *A Painted House* by John Grisham, copyright © 2000, 2001 by Belfry Holdings, Inc., published by Doubleday/Dell Publishing, a division of Random House, Inc.

From *The Nightingale* by Kristen Hannah, copyright © 2015 by Kristin Hannah, published by St. Martin's Press.

From *The Perfect Love Song* by Patti Callahan Henry, copyright © 2010 by Patti Callahan Henry, published by Vanguard Press, A Member of the Perseus Books Group.

From *Too Good to Be True* by Kristan Higgins, copyright © 2009 by Kristan Higgins, published by HQN Books, Harlequin Enterprises, Ltd.

From "Now I Lay Me" and "In Another Country" by Ernest Hemingway, in *The Complete Short Stories of Ernest Hemingway*, copyright © 1987 by Simon & Schuster, Inc., published by Scribner, a division of Simon & Schuster, Inc.

From *The Paper Magician* by Charlie N. Holmberg, copyright © 2014 by Charlie N. Holmberg, published by 47North, Seattle.

From *Doctor Sleep* by Stephen King, copyright © 2013 by Stephen King, published by Gallery Books, A Division of Simon & Schuster.

From *Joyland* by Stephen King, copyright © 2013 by Stephen King, published by Hard Case Crime.

From *Go Set a Watchman* by Harper Lee, copyright © 2015 by Harper Lee, published by HarperCollins Publishers.

From *To Kill a Mockingbird* by Harper Lee, copyright © 1960 by Harper Lee (renewed 1988), originally published by J.B. Lippincott Company, currently a Perennial Classic edition, HarperCollins Publishers.

From *The Indian Clerk* by David Leavitt, copyright © 2007 by David Leavitt, published by Bloomsbury USA.

From *Let the Right One In* by John Ajvide Lindqvist, copyright © 2004, translation copyright © 2007 by Ebba Segerberg, published by Thomas Dunne Books, an imprint of St. Martin's Press.

From *Candles on Bay Street* by KC McKinnon, copyright © 1999 by KC McKinnon, published by Doubleday Books.

From *Bloody Jack* by L.A. Meyer, copyright © 2002 by L.A. Meyer, published in the United States by Harcourt Children's Books, an imprint of Houghton Mifflin Harcourt Publishing Company.

From *Twilight* by Stephenie Meyer, copyright © 2005 by Stephenie Meyer, published by Little, Brown and Company, Hachette Book Group USA.

From *The Husband's Secret* by Liane Moriarty, copyright © 2013 by Liane Moriarty, published by The Berkley Publishing Group, the Penguin Group (USA) LLC, a Penguin Random House Company.

From *The Summer of You* by Kate Noble, copyright © 2010 by Kate Noble, published by Berkley Sensation, The Berkley Publishing Group, a division of Penguin Group (USA) Inc.

From *The Sympathizer* by Viet Thanh Nguyen, copyright © 2015 by Viet Thanh Nguyen, published by Grove Press, an imprint of Grove Atlantic.

From *The Watchmaker of Filigree Street* by Natasha Pulley, copyright © 2015 by Natasha Pulley, published by Bloomsbury USA, an imprint of Bloomsbury Publishing Plc.

From *The Silver Linings Playbook* by Matthew Quick, copyright © 2008 by Matthew Quick, publishing by Sarah Crichton Books, an imprint of Farrar, Straus and Giroux.

From *The Mountain Shadow* by Gregory David Roberts, copyright © 2015 by Gregory David Roberts, published by Grove Press, an imprint of Grove Atlantic.

From *Bellman & Black* by Diane Setterfield, copyright © 2013 by Diane Setterfield, published by Emily Bestler Books, Atria Books, a division of Simon & Schuster, Inc.

From *The Rosie Project* by Graeme Simsion, copyright © 2013 by Graeme Simsion, published in the United States by Simon & Schuster Paperbacks.

From *The Light Between Oceans* by M.L. Stedman, copyright © 2012 by Grasshill Communications, published by Scribner, a Division of Simon & Schuster, Inc.

From *Still Missing* by Chevy Stevens, copyright © 2010 by René Unischewski, published by St. Martin's Press.

From *The Illusionists* by Rosie Thomas, copyright © 2014 by Rosie Thomas, published by HarperCollins Publishers.

From *The Last Policeman* by Ben H. Winters, copyright © 2012 by Ben H. Winters, published by Quirk Books.

From *The Wednesday Letters* by Jason F. Wright, copyright © 2007 by Jason F. Wright, published by Shadow Mountain.

プロフィール

ドナルド・マース（Donald Maass）
文芸エージェント。1980年、ニューヨークにドナルド・マース・リテラリー・エージェンシーを設立。毎年150冊を超える小説を米国内外の大手出版社に売りこんでいる。著書に『職業としての小説家』『ベストセラー小説を書く』『ベストセラー小説を書くためのワークブック』『小説のきらめき』『ベストセラー小説家になる』『二一世紀の小説を書く』（すべて未邦訳）がある。著作者代理人協会の元会長。

佐藤弥生（さとう・やよい）
翻訳家。幼少期を返還前の香港で暮らす。商社などの勤務を経て、国内メーカー、在日米海軍などで20年以上技術翻訳に携わる。訳書に『スター・ウォーズ スーパーグラフィック』『映像編集の技法』『「書き出し」で釣りあげろ』（フィルムアート社／共訳）などがある。本書では、1章、2章、4章、6章、最後にの翻訳を担当。

茂木靖枝（もぎ・やすえ）
翻訳家。ロンドンで英語とコンピューターを学ぶ。金融系システム会社などの勤務を経て、現在は翻訳業と会社員を兼務。訳書に『アテンション』（飛鳥新社／共訳）、『スター・ウォーズ スーパーグラフィック』『映像編集の技法』『「書き出し」で釣りあげろ』（フィルムアート社／共訳）などがある。本書では、3章、5章、7章の翻訳を担当。

感情を引き出す小説の技巧

読者と登場人物を結びつける執筆術

2022年11月30日　初版発行

著者　ドナルド・マース
訳者　佐藤弥生、茂木靖枝
ブックデザイン　コバヤシタケシ（SURFACE）
DTP　白木隆士
編集　伊東弘剛（フィルムアート社）
発行者　上原哲郎
発行所　株式会社 フィルムアート社
〒150-0022
東京都渋谷区恵比寿南1-20-6　第21荒井ビル
Tel 03-5725-2001　Fax 03-5725-2626
http://www.filmart.co.jp/
印刷・製本　シナノ印刷株式会社

Printed in Japan
ISBN978-4-8459-2134-8 C0090